文春文庫

江戸の子守唄

御宿かわせみ2

平岩弓枝

文藝春秋

目次

江戸の子守唄

江戸《えど》の子守唄《こもりうた》

一

六分咲きの桜に、三日続きの雨が降って、江戸の人々をやきもきさせていたのが、今朝はからりと晴れ上ってすがすがしい春日であった。

満開とみえた時が桜はすでに散りかけているというが、風があるとも思えないのに、間をおいては一片、二片と舞い落ちてくる花片を、二、三歳の幼女は木の下を走り廻って、紅葉のような両手に嬉々として受けとめている。

いるいは、又、その子と一緒になって、袂《たもと》に花片を受けていた。二人が空中から拾った花片は紙の袋に集められて、淡い桃色のかたまりが出来ていた。

神林東吾《かみばやしとうご》は「かわせみ」の宿のわきに立って、そんなるいと幼女を眺めていた。

知らない人がみたら、母親が我が子を遊ばせている風景とみるであろう。実際、それくらいの娘があっても可笑《おか》しくないるいの年齢でもあった。

心に屈託があるので、東吾は暫く、そんなるいをみつめていた。が、長くは続かない。たまたま、「かわせみ」の裏口へ顔を出した女中頭のお吉《きち》が、

「おやまあ、なんでしょう、お嬢さんときたら、若先生のおみえになったのも気がつかないなんて……」

「あの子、どこの子だ」

「うちのお客の子なんです。お文ちゃんといいましてね」

るいが、その子の手をひいて戻ってきた。

「さあさあ、お文ちゃんはこっちですよ」

お吉が気をきかせて幼女を連れて行く。

枝折戸《しおりど》を廻って、東吾は庭先からるいの居間へ上った。

この庭の八重桜はまだ三分もひらいていない。

「逗留客なのか」

幼女の親のことである。

「ええ、三、四日、お泊りってことになってるんですよ」

隣の部屋で手早く化粧を直してきて、るいは茶の仕度をはじめた。

季節柄、もう炭火は深く灰の中に埋め込んで、鉄瓶の湯が冷めない程度の温かみを保っている。

「いいんですか、こんな時分からお出でになって……」

細い眉をよせてみせた。

「別に昼間、かわせみへ来てはいけないこともないだろう」

「そりゃそうですけれど……」

「るいのほうはまずいのか」

「とんでもない、るいは東吾様のお屋敷のほうを案じて申し上げましたのに……」

幼なじみの間柄だし、東吾はるいの亭主になったつもりでいるが、身分からいえば、小さな宿屋の女主人と、今は次男坊の冷飯食いながら、親代々、八丁堀の与力の家に生まれた東吾とでは、尋常にいえば縁組の成立するわけがなかった。

いってみれば忍ぶ恋であり、世間をはばかる仲には違いない。

まずいことに、東吾の兄である神林通之進《みちのしん》には、夫婦の仲に子がなかった。与力の家は表向き一代限りとなっているが、その実は必ず世襲であった。子のない家は早くから養子をむかえて、万が一の時の跡目相続をきめておく。

兄が、弟の自分を相続人ときめているらしいのは、東吾も知っているし、八丁堀では、いわば公認であった。

その証拠には東吾の人物と家柄のよさを見込んで、今までに養子に欲しいという話は随分とあったのだが、一つとして兄の通之進が首をたてにふらないからでもある。

「弟には、いささか、思うところがございまして、他家には出さぬことに決めて居ります」

丁重に、しかし、はっきりと通之進にことわられた家は一軒や二軒ではすまない。

「あそこは駄目だ」

と、養子縁組の話が一段落してしまうと、今度は、

「我が家の娘を、東吾殿の嫁に……」

年頃の娘を持つ親が動き出した。

だが、こっちはおいそれと話が進まない。

兄の養子になるということは、通之進が隠居のお届けを出すまでは、次男坊の冷飯食いであった。

一まわりも年の違う兄弟だが、通之進にしてもまだ三十なかばの働き盛りで、病身という事情がなければ、まだまだ十年や二十年は引退というわけに行かない。

娘の親にしてみれば、嫁にやったはいいが、次男坊の冷飯食いがいつまで続くかわからないでは、いささか心もとないという懸念もないわけではない。

東吾にとっては、まことに便利な状況であった。冷飯食いが一向に苦にならぬ男である。

鹿爪らしく奉行所勤めをするよりも、親友であり、定廻《じょうまわ》り同心でもある畝源三郎《うねげんざぶろう》の片棒をかついで、市井の小事件に首を突っこんだりしているのが結構、性に合っているし、兄の眼をかすめて、「かわせみ」のるいと他人でなくなってからは、一層、世に出るこ

とを望まなくなった。

るいにしてみれば、男が自分のために一生、日蔭者であることは耐えられない。その時がきたら、いつでも潔く別れる決心ではいるものの、この頃では五日も東吾の足が遠のくと、不安と寂しさで一晩中、まんじりともしない有様であった。

「どこかへお出かけでございましたの」

後へまわって着がえを手伝いながら、るいは東吾が他行着《よそゆき》であったことに気がついた。

次男坊の冷飯食いのくせに、東吾は兄嫁の香苗《かなえ》が始終、心をくばっているせいか、いつも、洗い張りの行き届いた小ざっぱりしたなりをさせられているが、そこは女で、るいの箪笥のひき出しにも、いつの間にか季節ごとに東吾の衣類が揃ってしまって、「かわせみ」へくると上から下まで、すっぽり着がえさせずにはいられない習慣が出来てしまっている。

東吾の着物も袴も真新しく、上等なものであることに対しての、るいの問いに、東吾は無造作に答えた。

「麻生《あそう》殿まで行った帰りだ」

足袋をぬぎ捨てて、気持よさそうにあぐらをかいた。

「麻生さま……」

るいは、その家に知識があった。

東吾の兄嫁、香苗の実家で、父親は目付役からこの春西丸御留守居役に替った。

「お屋敷は確か本所でございましたね」

「そうだ」

久しぶりに行ってみると、あの辺りにも町家が増えたと、東吾は話した。

「以前、空地だったところに新しい家が建っている。うっかりすると道に迷うほどだ」

武家屋敷は何十年経ってもあまり変化がないが、江戸の町家は増える一方で、地域も東西と北に年々、広がって、それが次々と町奉行所の管轄に廻されてくるので、八丁堀は猫の手も借りたいほど忙しくなってきているこの頃であった。

「たまには年寄の話相手に行ってやれと兄上のお指図で出かけたが、どうも甘いものばかり食わされて困ったよ」

故意に東吾は笑った。香苗の父親の麻生源右衛門《げんえもん》は酒は少々、どちらかというと甘いものに眼のない老人である。

「麻生さまは、皆さま、お変りございませんか」

東吾の背後で袴をたたみながら、るいが訊く。

「御老人はいよいよお元気だ。今でも毎朝、素振りを一千回は欠かさないそうだ」

「麻生さまは、只今、末のお嬢さまとお二人暮しではございませんか」

長女の香苗は神林家へ嫁ぎ、次女の七重《ななえ》というのが、まだ家にいて父親の世話をしているのは、母親が五年前に他界したためであった。

「七重さまは、まだお独りでございますか」

何気なく訊いているるいの言葉に、東吾は内心、驚いていた。女の勘は鋭い、とひそかに思う。

「場合によっては当家へ聟《むこ》に来てくれてもよいし、七重を嫁に出すのもかまわぬが、どうか、ぼつぼつ縁組を進めたいと思うが……」

藪《やぶ》から棒に、老人から切り出されて、東吾はさんざん冷や汗をかいてきたものである。

「お嬢さん、お膳の仕度が出来ましたが……」

声をかけて、お吉が酒を運んで来た。

「東吾さまなら、本所の麻生さまで大層なおもてなしを頂いておみえのようだから……」

そんなことをいって、るいはいつものように酌に立ってこない。どこかですねていると東吾は苦笑したが、お吉のほうは一向に気がつかないで、盃をとった東吾につられて徳利を持ち、女主人にかわって酒を注いでくれながら、

「あの、どう致しましょう。楓《かえで》の間のお客さま、まだお帰りにならないんですけども、お文ちゃんにだけ先に御膳を出してもいいんでしょうかねえ」

二

初更になっても、楓の間の客は帰らなかった。

両親が帰って来ないのに、差し出たことをと、少々ためらっていたるいやお吉も、頑《がん》是《ぜ》ない子が腹をすかせているのをいつまでも待たせるわけにも行かず、とりあえず、飯

を食わせると、腹がくちくなって瞼が重くなり、しくしく泣き出した。

まだ、舌足らずで、地方なまりもあるからいっていることはよくわからないが、母親を恋しがっているふうである。

「冗談じゃありませんよ、こんなちっちゃな子をほったらかしにして、どこをうろうろしてるんだろう」

子供を持ったことのないお吉は憤慨するばかりで、どうしようもなかったが、るいは生来、子供好きで、産んだことは勿論ないのだが、泣きじゃくるお文をなにかとなだめ、

「おっ母さんを迎えに行きましょう」

と欺《だま》して、背中におぶい、大川端をひとまわりしてくる中には、ちびは泣き疲れて眠り込んでいた。早速、老番頭の嘉助《かすけ》が抱きとって、お吉が用意した楓の間の夜具の中へ寝かしつける。

「親達は、どこへ行くといって出かけたんだ」

東吾はむしろ、帰って来ない親を案じた。並みの親なら、幼児を残しておいてこの時刻まで帰って来ないというのは可笑しい。なにかが出先であったのではないかというと、嘉助とお吉がちょっと顔を見合せた。

「それが、並みの親とは違いますようで……」

心得て、嘉助が宿帳を持ってくる。

男のほうは郡山の百姓で喜三ということになっているが、

「まず、百姓ではございません」

年頃は、三十七、八、ちょっと苦み走ったところのある痩せた男で、

「手前は芸人くずれではないかとみて居ります」

役者などではなく、たとえば下座《げざ》の三味線もごま化して弾ければ、幕引きや柝《き》も打つ。

出刃打ちなんぞの口上もやってのけるし、地方廻りの一座では、そういうのがけっこう重宝がられているものだという。

「どうも、そういう手合のような気が致しました」

女も若くて、せいぜい二十になったかどうかというところなのに、どこかすさんでいて、

「とても水吞百姓の女房ではございません」

「そんな奴らをどうしてかわせみが泊めたんだ。嘉助とお吉がついていて、とんだ手ぬかりじゃないか」

東吾にいわれて、お吉が口をとがらせた。

「あたしも番頭さんも、入ってきたのをみただけで、これはことわったほうが、いいって思ったんですけども、お嬢さんが……」

「るいが泊めるといったのか」

嘉助が白髪頭へ手をやった。

「あいにくどしゃ降りでございました。夜も更けていて、背中に子供さんがねむってい

るので、お嬢さんが不愍《ふびん》だとおっしゃいまして、ちょうど、部屋もあいて居りましたので……」

「仕様がねえおかみさんだな」

苦笑しているところへ、るいが戻って来た。

今まで子供の枕許についていたらしい。

「かわいそうに、涙のあとが頰にこびりついて落ちないんですよ。お湯にも入らず、ねちまったから……」

「いい加減にしろよ。子供好きが、とんだ仇になるとも限らねえぜ」

いつもは行儀のいい口をきく東吾が、今夜は八丁堀独特の巻き舌でるいに忠告しているところへ、

「楓の間のお客さまがお帰りになりました」

女中が知らせてきた。夫婦そろって酒の匂いをさせ、子供が寝ているのをみても、お世話をかけましたでもなければ、遅くなってすまなかったでもないという。

「どんな奴らだ」

東吾は興味を持った。

「今、二人してお風呂へ下りて来ますから」

女中にいわれて、東吾は障子を細めにあけた。

あかりとりの中庭をへだてて、むこうに廊下がみえる。楓の間から風呂場へ行くのは、

そこを通らねばならない。待つほどもなく、男と女が歩いてきた。どちらも手拭を下げ、荒っぽく床板を鳴らして通りすぎる。

どちらも悪ずれしているが、江戸の人間ではないと東吾も思った。男よりも女のほうがもう一つ野暮ったく、器量も垢ぬけない。

「お文ちゃんってのは、かわいい子ですけどねえ」

親が出かけて行っても、あとも追わないで、「かわせみ」の女中達に大して厄介もかけないで大人しくしている。

「ま、子供を連れているんだから、かけおちというのでもあるまい……」

なんの用で江戸へ出てきたのか、どういう素性の者なのか、うさんくさい限りだったが、子供連れということで、東吾もどこか考えに甘いものがあった。

「とにかく、なるたけ早くに発ってもらうことだな」

素性の知れない人間を泊めたにしては、お吉も嘉助もその割に平然としているのは、やはり、昔、八丁堀の人間だったせいで、その気の強さが、あとで考えると裏目に出た。

話題になっていた楓の間の客も風呂から上って部屋へ帰り、やがて、客の部屋も帳場もひっそりと寝しずまった。

東吾は無論、帰らない。

兄嫁の実家へどういう用件で招かれたかは、勿論、兄も兄嫁も承知である。東吾の帰りを待ち、彼の返事を待ちかねているのを知っていて、故意に「かわせみ」へ泊ったのは、この際、るいのことを兄にも兄嫁にもはっきりさせようと考えての上である。

るいには、なにもいわなかった。うっかり縁談のことをほのめかそうものなら、自分が身をひくといい出しかねないし、東吾にしてみれば、ほんの少しでもるいの心を傷つけたくなかった。それだけ、るいに惚れ切っているともいえる。

東吾の腕の中では、夜ごとに新鮮な燃え方をみせるるいであった。

割切ったつもりでも、心のどこかに七重との縁談がひっかかっているらしく、東吾はいつもより激しくるいを愛撫した。明日こそ、兄にるいのことを告白するのだという興奮も手伝っている。

その最中に、東吾は小さな物音をきいた。どこかの戸のしまるような音である。はっと耳をすませたが、それっきり、しんとしてしまった。誰かが手洗いにでも起きたのかと思い、東吾はそのままに忘れた。

その夜が明けて、江戸の町が覚め切らない前に、畝源三郎が訪ねてきた。

るいはとっくに起きて働いていたが、東吾のほうは夜具の中である。

帳場で源三郎に茶を出している中に、東吾は叩きおこされて着がえ、手水《ちょうず》を使った。

源三郎が案内された時には、居間はもう掃除がすんで、すっかり朝の気配になっている。東吾が朝風呂に入って、さわやかな表情をとり戻して来た。

「どうも、朝っぱらから無粋な使いで……」

照れくさそうな友人を眺めて、源三郎は苦笑した。

「実は、今朝早くに麻生様の七重様がおみえになりました」

るいが朝飯の仕度に部屋を出て行ったのをみてから、源三郎は低声でいった。

「七重どのが……」

「昨夜、八丁堀のお兄上から、本所へお使いがあったそうです」

東吾がまだ帰っていないが、という使いに対して、七重は、

「申しわけございませんが、父が御酒を無理強いして、東吾様は只今、別室でおやすみになって居られます」

と答えたという。

「俺が酒に酔って、麻生殿へ泊ったというのか」

東吾はあっけにとられた。七重は、そのことを東吾に知らせて、口裏を合せてくれるように、源三郎に頼んで帰ったという。

「差し出たことをする奴だな」

東吾はいささか中っ腹であった。

「女の小利口なのは好かん」

「そうですかな」

源三郎は穏やかに受けた。

「本所から八丁堀まで、夜明け前の道を走って、手前をおたずね下さるのは、七重様のような世間知らずのお嬢さまにとってどんなに思いつめてのことかと存じますが……」

慌しく、お吉がとんできた。

「楓の間のお客さまが居なくなりました。子供さんだけおいて昨夜の中に……」

東吾の耳に、昨夜の物音が甦《よみがえ》った。

三

喜三とお鹿というその夫婦者の客は、楓の間の窓から屋根へ出て、風呂場のわきに植木屋がたてかけたまま忘れて行った梯子を使って逃げたらしい。

「まさか、かわせみへ泊る客が屋根から夜逃げをするなんて思いませんものね」

るいは諦めていた。自分の不明で、うろんな客を泊めてしまったのだから、なにが起っても自分の責任だときめている。

「別に他のお客さまの品物を盗まれたわけでもありませんし、お帳場も用心していましたから……」

被害は宿賃をふみ倒されたことだけで、それはまあ仕方がないとしても、困惑したのは残して行った子供である。

「どういうつもりなんでしょう、自分の子をおいて行くなんて……」

お吉はあきれ返ったが、源三郎はこの頃、そういう事件は珍しくないといった。

昨年の春頃には白米が一両で九斗二升あったのが、その秋には不意に上って一両で六斗四升となってしまい、そのまま、値下りもみせないで今年に続いている。

黒砂糖にしても昨年一斤八十文が、今年は二百文を越えているし、一樽六百文そこそこの醤油が九百文、一升二百五十文の味醂《みりん》が四百文に、はね上った。

物価が上ったのに不景気で、家の新改築を延期する者が多くなり、大工や左官は仕事が減り、下へ行くほど生活苦がひどくなっている。

米が不作だったから、百姓のほうも困窮がひどく、暮しに困って子供を捨てたり、娘を売ったりが増えていると源三郎はいった。

「でも、そんなに困ってる様子じゃありませんでしたよ」

お吉が反論した。夫婦とも、悪趣味ながらいい身なりをしていたし、女の髪かざりなども金目のものをつけていたという。

「そんな詮索はもうやめましょう。とにかく、あたしの目ききが間違っちまったんだから」

お文という娘は、自分があずかるとるいはいった。

「我が子のかわいくない親はないんだし、その中、ひょっとしてひきとりにくるかも知れない。ま、当分、様子をみることにしましょうよ」

そのてんやわんやが、東吾にはむしろ好都合で、朝飯もそこそこに源三郎と「かわせみ」を出た。

「東吾さんのお気持はわかりますが、かわせみのおるいさんのことは、くれぐれも自重なさったほうがいいでしょう」

打ちあけるのに、今は時期ではないと源三郎はいった。

「昨夜のことは、折角の七重様の志を無にしないほうが……」

八丁堀へ帰ってみると、兄の通之進は奉行所へ出仕したあとであった。

るいのことを、東吾はやはり打ちあけそびれた。

当分の間、東吾は「かわせみ」へ出かけることを慎んだ。一つには、るいに対する良心であり、別には縁談の起っている七重への遠慮でもあった。

桜はあっという間に散って、春は初夏へ小走りに走って行ったが、東吾はそんな毎日を神妙に八丁堀の道場へ通ったり、終日、机にむかって居たりする。

「おるいさんは、このところ捨て子に夢中ですよ」

道場で顔が合った時、源三郎が「かわせみ」の情報を話した。

お文という、寝ている間に両親におきざりにされた子を、まるで我が子のように可愛がっている。

「あいつの子供好きは、いささか度がすぎているらしいな」

「人間誰しも苦しいものが心にある時は、なにかに夢中になることで、憂さを忘れようとするものですよ」

「苦しいものが心にある……」

反問したが、東吾にはその意味がわかっていた。他人でなくなって二年以上にもなるのに、まだ人眼を忍ぶ恋人同士の域を越えられない。

「源さん、だから、俺は……」

るいとのことを公けにしたかったのだといいかける東吾へ、源三郎は別のことをいった。

「逃げた二人の行方がわかりましたよ」

喜三とお鹿のことである。

「浅草の聖天裏に夫婦気どりで住んでいます」

「そんな近くにいるのか」

東吾は唖然とした。

喜三というのは、奥山の小屋で出刃打ちがかかっているのに前座で出ているという。うまい出刃打ちは、女を戸板の前に立たせておいて、出刃を投げるが、喜三はそれほどの腕がなくて、文字の型に出刃を投げたり、扇を的にしたりする程度だという。

「なぜ、しょっぴかない」

子を置き去りにし、宿賃をふみ倒しているのだ。

「おるいさんが、そっとしておいてくれというんです」

「るいが……」

「お文という子が不愍《ふびん》なようで……」

喜三とお鹿を捕えれば、当然、お文は夫婦の手に戻さねばならない。

「あんな非道な親に返したら、お文が幸せになれるわけがないといわれましてね」

他にもう一つ、理由があって、二人を当分、泳がせてもいるのだという。

「喜三というのは、もともと嘉助がにらんだように、地方廻りの芸人くずれです」

叩けば埃の出る男だが、要領がよくてお上に尻尾を摑ませない。二年ほど前に、江戸で仲間と女のことで刃傷沙汰をやり、そのまま江戸を逃げ出して流浪していた男だと、源三郎はいった。

「喧嘩はどっちもどっちで、今更、それでお縄にしてもどうにもなりませんが、当人としては、ほとぼりをさますつもりで、地方を歩いていたのでしょう」

そいつが二年ぶりに女と子を連れて江戸へ帰ってきた。

「仲間に喜三がいった話では、東北を流れている時、大病をしたそうです。それと、いい金蔓《かねづる》を摑んで江戸へ帰って来たらしい」

「金蔓……？」

「くわしいことは、喜三も喋っていません」

だが、かなり金を持っているらしいと源三郎はいった。

「奥山へ出ているのは仲間とのつきあいで、そんなことをしなくても、飲んだり食ったりには不自由しないだけのものを持っているとの風評ですが……」

お鹿という女の身許がはっきりしないという。

「どっちみち、東北を流れている中に知り合った女に違いないとは思いますが……」

喜三が東北のどこかで、なにかやってきたのではないかと源三郎は考えている。

「るいもの好きだな、そんな奴らの子を……」

男の我儘《わがまま》で、東吾は赤の他人の子に夢中になっているるいが不満だった。女というものは、他に夢中になる対象があれば、亭主のような男の存在を忘れていることができるのだろうかといまいましい。

ちょっとした意地もあって、東吾はやせ我慢をして「かわせみ」へ行かなかった。

もう二、三日で五月の声をきこうという日、東吾は兄夫婦と一緒に、深川の料亭へ招かれた。

麻生源右衛門の還暦を祝う、内輪だけの小宴ということで、無論、七重も同席した。

酒を飲まない老人のために、料理は特に吟味されていたし、海のみえる座敷は、もう夏を思わせる潮風が吹き込んで、遠く、沖に白帆が浮び、日頃、孤独な老人を喜ばせた。

東吾は落ちつかなかった。いつ、七重との縁談が持ち出されるかと思うと気が気ではない。

同じ断るにしても、このようなめでたい席は避けたかった。といって、いい加減な返事をしては、あとあと取り返しがつかなくなる。

それに海をみて酒を飲んでいると、何故か、しきりにるいのことが心に浮ぶ。

考えてみれば、二年前の新年に友人と深川で遊んだ帰り、酔って「かわせみ」へ行ったのが、るいと他人でなくなった最初であった。

一カ月近くも遠ざかっていて、るいがどんな気持でいるかと思う。こうして酒を飲み、仮にも縁談のある女と同席していることが、東吾は次第に心苦しくなってきた。

「酔いました。少し、風に吹かれてきます」

さりげなくことわって、東吾は廊下に出た。

すぐ後から足音がして、ふりむくと七重がついてくる。

「お帰りでしたら、お供しましょう」

東吾は慌てた。

七重はさっさと履物を出させて外へ出る。

「しかし、義父《ちち》上の宴を中座しては……」

「かまいません、私、東吾様と少し、お話をして参りますと申して来ました」

きびきびした答えが、東吾に小癪なという感じを呼び起した。

黙ってもう宵闇の濃くなっている外へ歩き出すと、七重が肩を並べてくる。

「どちらへいらっしゃいますの」

東吾の歩調に追いつくためには小走りに走らねばならないから、七重は呼吸をはずませている。

「大川端のかわせみです」

腹が立っているから、東吾は遠慮しなかった。

「怒っていらっしゃいますのね、いつかのことを……」

流石《さすが》にしゅんとして、いった。

「出されもしない酒に酔って、泊りもしない家へ泊ったといわれれば、腹を立てない男はいないでしょう」

「申しわけございません」

七重は素直にあやまった。

「八丁堀からお使いがみえた時、私、動転してしまって……なぜ、あんなことを申してしまったのか、自分でも後悔して居ります」

「わたしをかばってやろうと思ったんじゃありませんか」

つい、東吾は歩調をゆるめた。

「それもございますけれど……半分は私の願いのようなものだったと思います」

「願い……」

「東吾様が本当にお酒をおすごしになって、私どもへお泊り下さるほど、お心を許して頂けたら」

七重の声がかすれて、思い直したように、別に低い調子で話し出した。

「東吾様はご存じでしょうか、子なきは三年にして去るということを……」

「嫁して三年子なきは去るでしょう」

嫁いで三年経っても子供ができない時は、離別されるという意味である。

「姉は、神林様へ嫁入りして、もう十年になります」

兄夫婦には、未だに子がない。東吾は破顔した。

「兄はそんな男ではありません。姉上と仲むつまじいし……世の中には十年、二十年連れ添って子供のない夫婦でも添いとげる例は多いし、又、十年余も子供がない夫婦に、或る時、思いがけず、子が授かることもあります」

「でも、父は神林様に申しわけないと申して、人を介して、お兄上様へ女子のお世話をおたのみ致しました」

「ほう……」

初耳であった。本妻に子ができない時、妾を持つ話は世間によくあるが、どうも、兄の話になるとぴんと来ない。

「通之進さまはお断り下さったそうでございます」

七重がいった。子がないのは夫婦双方のとがで香苗の罪ではないし、神林家の家督相続は弟の東吾と決めているから、そういう斟酌《しんしゃく》は無用と通之進がきっぱり返事をしたという。

「そりゃあそうでしょう。兄上と義姉《あね》上の仲のよさには、年中、あてられています。兄上に子が出来ないのは、俗にいう仲のよすぎる夫婦には子の出来る暇がないという奴ですよ」

七重が赤くなるのを承知で、東吾はいった。

「でも、父はそれなりに案じて居ります。通之進様のお気持がありがたければありがたいだけ……父も、もう年でございます。命のある中に神林家の跡取をしかと見てあの世へ参らなければ、殁《なくな》った東吾様のお父上に申し上げる言葉もないといって……」

東吾達の父と、麻生源右衛門とは竹馬の友であった。東吾の父が病床から親友に、遺児の後事を頼んで逝ったことは、東吾も知らないわけではない。

「父は通之進さまのお気持に対して、お詫びの心をこめて、私を東吾様へ嫁《かた》づけたいと願ったのでございます。可笑しなことかも知れませんが、父はどうしても、麻生の家と神林のお家の血のまじった孫の顔がみたかったようでございます」

老人の気持は、東吾にもわからなくはなかった。亡友に対する追慕の心は麻生源右衛門の年とともに深くなっていたに違いないし、その友への責任感としても、神林家の血筋を絶やしてはならなかった。

「私、姉に呼ばれましたの。父がなんと申しても、東吾様とのことは、承知してはならない……東吾様には、るい様とおっしゃるお方がいることだから……お二人のお邪魔をしてはならないと……」

「義姉上が……」

東吾は七重をみつめた。深窓に育って、世間をまるで知らないような、いつもおだやかで、兄に甘えているような兄嫁が、義弟の恋を知っているとは思いがけないことであった。

「私、姉が羨しゅうございました。自分ばかり好きなお方のお傍にいて、妹の私に諦めよと申すのは……でも、姉の気持もわからぬわけではございません」

正面をむいたまま、七重は早口になった。

「私、どんなに傷ついてもいいから、東吾様のお嫁さまになりたいと思いました。でも、姉は、傷つくのはおるいさまと東吾様だと申しました。自分が傷つくのは耐えても、人を傷つけることは……ならぬといわれました。私がどうしても東吾様をあきらめないのなら、自分もすべてをあきらめて、神林家を出るとも……」

ぽろぽろと七重が泣いているのに東吾は気づいた。

「七重どの……」

「私をみないで下さいまし、後に、おるいさまがいらっしゃいます」

東吾は思わずふりむいた。二十歩ほど背後にるいが茫然と立ちすくんでいる。

「私が、おるい様をお呼びしましたの。東吾様を本当にお好きなら、深川までお出で下さるようにと……お出で下さらねば、七重が東吾様を頂戴致します……」

七重が泣いた顔で笑った。

「お話は終りました。深川へ帰ります」

男の子のような動作で東吾に一礼し、るいのわきをすりぬけて今来た道を走った。

「るい……」

近づいて声をかけると、るいの体が倒れかかった。極度の緊張のため貧血を起したらしい。

体中から力がぬけてしまったようなるいを抱えて、東吾は大川端へ帰って来た。

「お嬢さん……」

出迎えたお吉が、声をかけたきり、もうなにもいわないで、るいの部屋へ布団を敷いた。

ぽろぽろと泣いている。一カ月、東吾が「かわせみ」に来なかったことで、るいも、「かわせみ」の奉公人達もどれほど傷ついていたか東吾にはじめてわかることであった。

「すまない。お吉……俺がつまらぬ意地を張っていたのだ。もう二度と、るいにもお前達にも心配はかけない」

東吾がいうと、お吉は声をあげて泣き、何度も頭を下げて、台所へかけ込んでしまった。

「堪忍して下さい」

やっと口がきけるようになったるいが起き上って手を突いた。

「麻生さまのお嬢さまにいわれて、私、行かないつもりでした。行くまいと必死になっていたのに……」

「馬鹿……」

るいの肩を抱いて、東吾は叱った。

「お前が来なくったって、俺はここに来る。つまらないことを考えるな」

るいの肩が、はっとするほど薄くなっている。

「子供はどうしたんだ……」

泣いたり笑ったりの一刻がすぎて、東吾は訊ねた。

「今夜は、お吉があずかりますって……」

はにかんで、るいが赤くなった。大川端は久しぶりに夜霧が出た様子であった。

四

深川の宴席を中座したことについて、兄も義姉もなにもいわなかった。

それをよいことにして、東吾はせっせと大川端へ通っていた。

義姉の心尽しに対しても、七重のことはすまないが、といってるいを捨てる気持は微塵もない。

「おい、尾張町の蛭子屋《ひるこ》へでも行かないか」

たまたま、師範代をしている道場からの謝礼が懐中にあるので、東吾はるいを誘った。うまい具合によく晴れた日である。

「かまわないから、お文も連れて行け」

心配させた詫び心に呉服物の一つも買ってやるつもりであった。

るいは少し迷うようだったが、結局、お文の手をひいて出かけることになった。

るいの手入れがいいから、お文は血色もよく肥って、親がどうであれ、まことにかわいい顔をしている。

尾張町は軒並み、呉服屋であった。角が蛭子屋で、ここは義姉の香苗がひいきにしている。東吾が顔を出すと、八丁堀の屋敷に出入りしている番頭がとんで来た。

「帯でも着物でもいい、似合うようなのを出してやってくれ」

流石に照れくさくて、東吾はお文を抱いて店のすみへ腰かけている。

番頭は心得て、品物を手代に運ばせ、るいの好みをききながら、あれこれとひろげてみせる。その間には小僧が茶を運んで来て、お文には菓子まで出してくれる。

るいも気に入り、番頭も勧めたのは、紅花染めの単衣《ひとえ》であった。

紅花染めといっても、桜の花のような淡いものが、ぼかしになっていて、濃いところで黄を含んだ淡紅色になっている。

「出羽国の天童と申すところで紅花を大量に栽培致して居ります。同じ紅でも最初の染めほど色が濃うございまして、あとへ行くほど薄くなります。終りは黄色に染まるそうでございまして……」

紅花を育てる土地の女達はその染め残りを使って黄色に染めた布を、下着にしているという。

「草木《くさき》染《ぞめ》は肌につけて温かく、冷えを防ぎ、体によいそうでございます」

「黄色の肌着……」

きいているるいが、ふと、眼をあげた。

「それは、どんな色でございましょう」

「あまり、きれいな色とは申しかねます、実は手前も、つい先頃、出羽からきた人にきいたことでございまして……」

その人の下着の色が、見馴れぬ黄色だったことから興味を持って訊ねて知ったことだという。

「下着をみたといっても、干してあるのをみたのでございまして、色っぽい話ではございません」

もう髪の白くなっている番頭は笑った。

「あの……この子の下着をみて頂けますまいか」

るいがお文の袖口をめくった。黄色い下着がのぞけてみえる。木綿を染めたものであった。

「ああ、これでございますよ。これも紅花染めで……」

番頭が俄かに声を低くした。

「失礼でございますが、このお子はこちらさまの……」

そうではないとるいは答えた。

「もしや、お名前はお文さまとおっしゃいませんか」

番頭の問いに、今度はるいが絶句した。

そこから、蛭子屋の番頭に連れて行かれたのは日本橋長谷川町にある蛭子屋の仕事場で、ここは呉服屋が注文を受けた呉服の仕立物をする女達が五、六人それぞれ裁ちもの台を前にして針を運んでいる。

番頭が呼んで、女が一人立ってきた。みるからに素朴で、品のいい顔立ちをしている。

女がおどおどとるいと東吾をみ、そしてお文をみた。女の顔色が変り、なにか叫んだ時、ぼんやりしていた幼女がるいの手をふり切ってかけ出した。

「おっ母ちゃん……」

まわらない舌がそう叫んで、女は両手にお文をしっかりと抱きしめた。

事態がすっかりわかったのはその日の夕方で、行きがかり上、東吾は八丁堀に使いをやって畝源三郎を呼んで、立ち会ってもらった。

女はお才といって、出羽の天童にある紅花屋の女房だった。

「いや、世の中には奇怪なことがあるもので……」

お才から事情をきいた源三郎が先に「かわせみ」へ戻ってきた東吾とるいに話した。

お才は紅花屋へ嫁入りして四年経っても子に恵まれなかった。紅花屋では、五年経っても子供ができない時は女房を離別して新しい嫁を迎える習慣がある。

窮したお才は産婆をしている母親に相談をした。たまたま、その近くの湯治場で宿の女中をしていた若い女が男に欺されてみごもって、なんとかおろしてくれないかと、相談に来ていた。

「そこから先が、手前のような男には、想像もしかねるのですが……」

お才は夫にみごもったと告げ、つわりの真似をはじめた。幸いというべきか、お才の夫はその年の紅花の荷について京へ旅立ったので、お才は腹に毎月、布を次第に大きく重ねて巻き、やがて実家へ帰ってお産をした。

「無論、同じ時期にお鹿が生んだ子を金を出して、ひき受けたわけです」

「そんな馬鹿なことが……」

るいもあっけにとられた。

「よく、ばれずにすんだことだと手前も思います。女が必死になると、とてつもないことをやりとげるものとみえますが……」

別に疑う人もなく、お文は紅花屋の娘としてすくすく成長していた。

ところが、実の母親のお鹿が、その時もやはり温泉場で女中をしていたのだが、

「たまたま、大病をして湯治に来ていた喜三といい仲になりました」

お鹿の口から、紅花屋の娘が本当はお鹿の子ときいて、喜三は、お才をゆすった。お才は怯《おび》え、工面して金を渡し、とうとう実家の母親が夫の死後、人にやらせていた田畑から、山に至るまで売り払って、口止め料にしたが、大金を渡すと、今度はお文をさらって二人が天童を出奔した。

「この点が、まだよくわかりませんが、お文を手許においておけば、金のなくなった時分にお才を、また、ゆすることができると考えたものか」

それとも、お鹿が母性本能にめざめて、お文を手渡したくなくなったのか、

「喜三とお鹿を叩いてみないとわかりません」

かわいくて連れ出したものの、やはり幼児は足手まといと、「かわせみ」に置いてき

ぼりにしたのではないかと、源三郎はいった。

「無知な母親には案外、よくあることです」

お才が出羽国をとび出したのは、お文のあとを追ってであり、老いた母親を連れて夜逃げ同然に故郷を発った。

「お鹿の相手が江戸からきた男ときいていましたから、きっと行く先は江戸と思って……」

老母を連れて江戸で草鞋《わらじ》をぬいだ宿の主人の紹介で、蛭子屋の縫い子をしながら、お文をさがしていた。

「紅花染めの肌着を着て、お文という名の女の子というだけでは、広い江戸のこと、めぐり合えるとは、まず思いませんでしたが……」

相談を受けていた蛭子屋の番頭も驚いている。

「なんだか、もう一つ、すっきりしないんですよ」

喜三とお鹿のことは、自分にまかせて欲しいといって源三郎が帰ったあと、るいが東吾にいった。

「お才って人も、そのおっ母さんも、紅花屋から離縁されたくなくって、お文ちゃんを追いかけてきたんでしょうねえ」

お文にとっては紅花屋の娘であるほうが幸せには違いないが、実の母親はお鹿である。

「そいつは仕方があるまい。実の母親がもうちっとましなら、返してやる手もないではないが、ああ、いい加減じゃ危くって渡せやしねえ」

「それはそうですけれど……」

「といって、るいがひきとるってのも筋違いだぜ」

「そんなこと、わかっています」

るいがつんとそっぽをむいた。

「お文ちゃん、大丈夫でしょうかねえ。折角、出羽へ帰っても、また、喜三や生みの親にゆすられるんじゃ……」

お吉や嘉助は、むしろ、そっちのほうを心配していた。

東吾と源三郎に連れられて、お才とその母親がお文を伴って「かわせみ」に挨拶にきたのは、二日の後であった。

親子三人とも旅仕度をしている。

出羽へ帰るのかというるいの問いに、お才が首をふった。

二度と故郷へ戻るつもりはないという。

「おっ母さんとも相談しました。人を欺してまで、紅花屋に居すわるつもりはもうありません」

お文を探して江戸へ出る途中も、それを考え続けてきたという。

「この子がみつかったら、親子三人、知らない土地へ行って、働いて暮そう。この子がかわいいから……この子を手放したくないからあたし達、生まれた土地を捨てたんです。

お金もなにもいりません。この子がこうして、戻って来てくれれば……」

嫁いで五年して子が出来なければ離縁するという家のきまりに従って、お才を離別したに違いない夫にも、未練はないとお才はいった。

「お文は、私の命でございます」

二度とお文を奪われないためにも、知らない土地でひっそり暮したいという。

「落ちつく先は源さんが算段した。心配するな」

東吾がさわやかな顔で笑った。

「大丈夫なんですか……喜三って奴……」

お吉が不安そうにいい、それにも東吾が答えた。

「あいつらは目下、入牢中さ。かわせみの宿賃をふみ倒しただけでも十日やそこらはひっくくっておける」

その間、母子は安心して新しい土地へたどりつける、と源三郎はいった。

「どうです、八丁堀に、そつはないでしょう」

どこまで源三郎が送って行くのか、旅立って行く母子を、るいは東吾と大川端まで見送った。

「おい、いつまでも未練たらしく他人の子を見送ってねえで、今年は、産めよ」

涙ぐんでいるるいの耳に、東吾がささやき、るいは首筋までまっ赤になった。

大川を威勢よく漕ぎ下る櫓《ろ》の音が、如何にも、初夏であった。

お役者松《やくしゃまつ》

一

江戸は、夏だけが夜更しであった。

燈油が酒よりも高い時代だったから、普段はどこでも夜は早めに寝につく習慣であったのが、夏の蒸し暑い時期だけは例外であった。

日が落ちると、待ちかねたように夕涼みの人が出る。

寺社の縁日も、夏の間は、夜の賑いになり、魚燈を燃やすカンテラや薩摩蠟燭《ろうそく》の煙が立ちのぼる中で、植木市が出て、新内の流しや声色が通ったり、枝豆売りや白玉氷の天秤商いが声高に売り歩いていたりする。

「こう人が出ちゃあ、涼みにゃなりゃあしねえな。まるで、汗をかきに来たようなもんだ」

団扇《うちわ》を片手に白絣の着流し、大小を落し差しにして、神林東吾はあとからついてくるるいをふりむいた。

つい、その手前で買った廻り燈籠を大事そうに下げて、るいはなにをいわれても嬉しそうな顔をしている。

おたがいに三年越しの人目を忍ぶ仲で、もっとも、東吾のほうはまるっきり世間体を気にするふうもなく、まあ怖いのは八丁堀で吟味方の与力をしている兄の神林通之進の前ぐらいのもの、それとても兄嫁の香苗がなにもかも承知していて知らぬ顔、影になり日向になって兄の手前、東吾の立場をかばってくれるのを幸いにして、三日に一度、五日に一度は大川端の「かわせみ」へやって来て、るいと夫婦のような暮しをしているが、るいのほうは女の身だし、とかく取り越し苦労も絶えないだけに、こうして夜の暗さや涼みにまぎれて、夫婦らしく外を出歩くだけで、どんなにか楽しく、晴れがましい気分でいるらしい。

それがわからなくもないのに、年下の亭主の我儘で、さっきから心にもない文句ばかりをいっている。

それだけならまだしも、武士のくせに、枝豆売りから買ったのを歩きながら手当り次第に食べ散らし、麦湯売りをみつけると、大声でるいを呼んでは、冷たいのを買わせて立ち飲みをしている。

もし、そんな恰好を、兄の通之進にでも見られたら、どんなお叱言を頂戴するだろうと、はらはらしながら、それでも、るいは年下の男の、そんなやんちゃぶりが嬉しくてたまらなかった。

「そんなに、お豆ばっかり召し上って、麦湯を飲んだひには、お腹を悪くしますよ」

手拭を出して、東吾に手を拭かせ、ついでに、たいして汗になってもいない額ぎわを背のびをして拭いてやって、そんな仕草にまで姉さん女房がちらちらするるいであった。

広い境内を通って拝殿のわきを抜けると、大きな銀杏《いちょう》があって、そのむこうに末社《まっしゃ》が二つ並んでいる。

夜店は、そのあたりにも並んでいて深川名物、カリン糖の売声がしていた。

「掏摸《すり》だっ」

という叫びがきこえたのは、ちょうどその雑踏のむこうで、暗い中で人の突きとばされた声や子供の泣き声が入り乱れ、人波がどっとくずれた。

「危いぞ」

咄嗟《とっさ》にるいを抱いて玉垣の上にのせ、かばうようにして前をむいたとたん、

「お役者の、すまねえ」

よろけるようにしてすれ違い、走り去った男の手から、一瞬の素早さで東吾の懐中に財布らしいものが投げ込まれた。

あっと思う間に群衆がなだれを打って来て、東吾にしてみれば、るいをかばうのがせい一杯、気がついた時には無論、その男の姿はない。

「いったい、どうしたんです」

東吾から黒い財布をみせられて、るいはびっくりした。

「どうもこうもありゃしねえ、掏《す》った奴は、追われて危ねえと思った時、仲間に品物をあずけて逃げるそうだが……」

「まさか、東吾様を仲間と思ったわけじゃないでしょうね」

だが、そのまさかが縁日を出て、大川端へ帰る途中で起った。

門前町から蛤町の裏を抜けて、やがて堀のむこうは松平伊豆守の下屋敷の裏塀になる。

人通りがないのを幸いに、少し疲れたるいの手をひいてやって、川からの風は涼しいし、やっと夜涼みの甲斐があったような気分で歩いてくると、道のすみの柳の木の後から男がついと出て来て、東吾の前に立った。

「お役者の兄い、すまねえ、さっきはおかげで助かったぜ」

それで、東吾がわかった。

「お前か、俺の懐中に財布を投げ込んで行ったのは……」

ぎょっとしたように相手が東吾をみた。月明りですかすようにまじまじと眼をこらす。

「俺が、誰かに似ているのか」

提灯を、東吾はわざと自分の顔に近づけた。

「お役者の兄いじゃねえんで……」

「お役者の……なんだ、そいつは……」

相手は二、三歩とび下った。

「旦那は……」

「俺か……」

東吾は笑った。

「俺は八丁堀与力、神林通之進の弟で、東吾という冷飯くいだ。もしこいつが欲しかったら、そのお役者とかいう仲間と一緒に、俺の屋敷へたずねて来い」

男が、ぱっと路地へ逃げ込んだ。そのまま一目散に仲町のほうへ走って行く。早い。

追うつもりはなくて、東吾はそのまま、るいを連れて「かわせみ」へ帰って来た。

別に、わざわざ夜涼みに出なくとも、いいように川風の吹き込んでくるるいの部屋で、嘉助もお吉も並べておいて、財布を出してみた。

唐桟《とうざん》の小意気な財布で、金は三両と少し、別に四角く折った手紙のようなものがある。

持ち主の手がかりにでもなるかとあけてみると、どこの家にでもありそうな半紙に下手な文字で、

こうきちを、かえしてほしければ

十両、もって、本所はぎでら七日

亥《い》の刻

みかわやこうべえどの

差出人の名前はない。

「こりゃあ、ゆすり、おどかしの文じゃありませんか」

お吉がいうように、明らかに脅迫状らしい。

ただの掏摸さわぎではなくなって、早速、「かわせみ」から嘉助が八丁堀へ走って、定廻りから帰って間もない畝《うね》源三郎を呼んで来た。

「とんだ涼みになったようですな」

声は笑いながら、源三郎はてきぱきと処理をしていった。

嘉助からおおよその話と問題の手紙をみせてもらって来ているので、今日は下っ引と小者を連れて来ている。

「ただ、七日、とあるのですから、まず今月の七日と考えると、ちょうどあさってです」

脅迫状を出すには、早すぎもせず、適当な頃合でもあった。

「まず、この脅迫状を受け取る人間ですが、みかわやこうべえは、三河屋幸兵衛か、孝兵衛でしょう」

本所、はぎでらは、本所のはずれの押上村と柳島村にはさまれたあたりに、通称、萩寺、正しくは慈雲山、竜眼寺というのがあるのが、それではないかと源三郎はいう。

直ちに源三郎は下っ引に命じて、本所深川界隈の三河屋幸兵衛、もしくは孝兵衛なる者を探させた。

「おい、どうして本所深川に限ったんだ」

傍できいていた東吾が口をはさむ。

「別に仔細はありません。金を持って来いと指定されている場所が本所のはずれです。まず、そう遠くの人間を呼び出すとは思えなかったものですから……」

まず、竜眼寺を中心にして、三河屋をさがしはじめてみるのだという。

「そういやあ掏摸に財布をすられた場所も深川だったな」

それにしても、この財布の持ち主が果して脅迫状を書いた当人なのか、それとも受け取った三河屋何某《なにがし》なのか。

「もしかしたら、頼まれて、三河屋さんへ投げ込みに行く途中だったかも知れませんね」

るいも首をかしげた。

「源さんは、お役者なんとかいう掏摸を知っているか」

下っ引や小者が、源三郎の指令を受けて出て行ってから、東吾は改めて訊ねた。

お吉が気をきかせて、下っ引や小者にも軽く一杯飲ませ、腹ごしらえをさせておき、手配のすんだところで、るいの部屋へも酒を運んで来た。

「お役者という仇名《あだな》ですか」

源三郎が嘉助をみた。

「わたしが知っているのは、お役者松という男ですが……」

嘉助もうなずいた。

「手前もきいたことがございます。なかなかいい指を使いますとか……」

役者という仇名の通り、ありとあらゆる扮装をこなして、容易に本当の顔も姿もみせたことがないのも、岡っ引を手こずらせた。

正体が知れないのでは、探索のしようがなく、現行犯で挙げたくとも逃げ足はすこぶる早い。

「たしか、そうきいたような気がするんだ。掏摸が財布を俺にあずける時も、とり返しに来た時も……お役者の兄いと呼びかけたと思うが……」

るいもうなずいた。

「確かに……一度目は気がつきませんでしたけれど、二度目の時は、あたしもそのようにききました」

「東吾さんを、お役者松と間違えたというわけですな」

源三郎が笑った。

「誰も素顔をみたことがないので、嘘かまことかわかりませんが、噂ではお役者松というのは、かなりな色男のようですよ」

東吾も笑った。

「そりゃあそうだろう、いやしくも、俺と間違えたんだ」

「しょってるひと……」

るいが嬉しそうに袂でぶつ真似をして、ついでに膳の上の枝豆の皿を東吾の分だけ片づけた。

「お豆はもういけません、さっき、外であんなに召し上ったんですから……」

川風がつめたいくらいなのに、源三郎は団扇を使い、手拭を出して額の汗を拭いた。

二

流石《さすが》に定廻りの旦那の勘は鋭くて、その夜があける頃には、三河屋幸兵衛がみつかった。

深川は仙台堀の近く、伊勢崎町の酒屋で、三河屋幸兵衛というのに、悴があって幸吉という。

「それほど大きな酒屋ではありませんが、手代に小僧の一人ずつもおき、まあ近所の評判は悪くないようです」

知らせに来たのは、畝源三郎から手札をもらっている岡っ引で、深川で本業は蕎麦屋をしている長助《ちょうすけ》という男である。

ただ、長助の報告で源三郎も東吾も、ちょっとあてがはずれたのは、幸吉という、脅迫状では、どうやら相手にさらわれた息子の年齢が二十になっていることであった。

金を目的とする誘拐の場合、まず、女子供、それも年端《としは》も行かないのが多い。

「娘っ子で二十なら、まあわかりますが、野郎が二十にもなっていて、やすやすとかどわかされるってのが、ちょっと……」

それに、今のところ、三河屋幸兵衛からは倅が行く方知れずになったとも、誘拐されたとも、お届けは出ていない。

ともかくも、その三河屋を当ってみようということになって、長助を案内に畝源三郎と、それに東吾も連れ立って大川端を出た。

梅雨あけの、まぶしいような天気である。

永代橋を渡って、大川沿いに暫く行くと松平陸奥守の下屋敷がみえて、その手前の橋を渡って右にまがると伊勢崎町であった。

三河屋というのは、成程、そう大きな店がまえではないが、店の前はきれいに箒目《ほうきめ》が通って打ち水がしてあり、一歩土間へ入ってみると品物も揃っているし、応対に出た小僧も手代もしっかりしている。

道々、長助が話したように、主人の幸兵衛というのは三年ほど前に卒中で倒れてからは半身不随で、殊に言語障害がひどく、未だに寝たっきりの状態だという。

「女房のお久仁さんというのがしっかりしてまして、これが病人の世話から、商売のほうまで一切合財《いっさいがっさい》をとりしきっています。手代の弥助というのは、幸兵衛の遠縁に当るそうですが、これもなかなかの働き者で、まあ店のほうはなんとか、得意先を減らさねえでやってるようです」

しっかり者の女房といわれたお久仁が、やがて、弥助に呼ばれて店へ出て来た。

東吾が考えていたよりずっと若く、長患いの病人をかかえていて、いくらかやつれがみえるものの、しっかりした物腰で、すぐ帳場の奥の部屋へ案内した。

長助がざっと用件を話し、源三郎が例の手紙をみせると、お久仁はさっと顔色を変えた。

茶を運んで来た弥助が、不安そうにお久仁をみる。

「どうだ、心当りはあるのか」

源三郎は穏やかにいったが、お久仁は蒼ざめて、咄嗟になんと返事をしたものかとためらっている様子であった。

「おかみさん、かくし立てをしちゃいけねえぜ。幸吉はいつから居なくなったんだ」

お久仁は着物の上から、膝を摑むようにして、うつむいた。

「申しわけございません。実は四日の夜から、家に戻りませんで……」

出て行ったのは四日の夕方で、

「近所のお友達のところへ行って、みんなで夕涼みがてら、幽霊話をして夜あかしすると申しまして……」

蒸し暑くて、寝苦しい夏の夜を、町内の若い者が集って幽霊話をきいたあげく、近所の墓地へ度胸だめしに出かけたりするのは、よくあることなので、お久仁はあまり気にもしないで出してやった。だが、翌朝になっても帰って来ない。心配になって、近所へききに行ってみると、昨夜は、別に幽霊話も度胸だめしをする約束もなく、幸吉のいったのは嘘だとわかった。

「そうするってえと、幸吉は自分からこの家を出て行ったんだな」

「はい……」

店を出て行く時は、間違いなく一人で、別に外に待っていた者があったようには思えないが、

「あの……幸吉がどこかへ行く途中で……無理にどこかへ連れて行かれたのではないでしょうか」

昨日は、そんなこととは思わずに、幸吉が行きそうな知人の家を廻ってみたり、一日中、落ちつかないままで過したと、お久仁はいう。

「お上にお届けをしませんでしたのは、あの、あの子も、もう年頃ですので、ひょっとして……」

悪い友達に誘われて遊びに行くこともあるだろうと、まわりにいわれたからだという。

たしかに、それはその通りで、二十歳にもなっている息子が、一晩、二晩、家をあけたといって、大さわぎする親は少い。大方は、悴の行先に見当がついていて、帰ってくれば叱言もいい、たしなめもするだろうが、世間へはなるべく知れないように心がけるのが普通であった。

幸吉の誘拐された先についても、脅迫状の相手にしても、全く心当りはないとお久仁はいった。

念のために、お久仁の了解を得て、帰りしなに隣の部屋に寝ている幸兵衛を見舞った

が、これは女房がよく行き届いているので、小ぎれいにして寝かされていたが、典型的な中風病みで、ただ、唇をふるわせながら、

「親不孝が……」

と呟くのが、やっと聞きとれるほどの病人であった。

早々に男三人が元の部屋まで戻ってくると、

「あの萩寺というのは、竜眼寺さまのことでございましょうか」

そっと、お久仁が訊く。

「おかみさん、行くつもりかい」

長助がいい、畝源三郎の顔をみた。

「はい……やはり、この手紙の通りにしたほうが……」

十両は大金だが、息子には替えられないし、申しわけないが、お上のほうでは、このまま、そっとしておいてもらえないかという。

「なまじ、お上に届け出たと思われて、幸吉の身になにか……」

親としては、当然の不安である。

「旦那、どう致しましょう」

長助に訊かれて、源三郎はあっさり答えた。

「いいだろう、好きにするがいい」

三河屋を出て、道の角まで行ってから、なんの気なしに東吾がふりむくと、送って出

た手代の弥助というのが、まだ店へも入らず、なにかいいたげに立っていて、東吾がふりむくのをみると、慌ててお辞儀をして店へ入ってしまった。

深川の長助の店へやってくると、ちょうど昼で、最初からそのつもりの長助が風通しのいい二階へ案内して、自慢の蕎麦を運んでくる。

「ちっと、かみさんが若すぎやしねえか。中風の亭主はどうみても五十すぎ、幸吉って息子が二十だってのに、あのお久仁という女房は、せいぜい三十をちょいと出たところのようだが……」

東吾がいって、長助がすぐ相槌を打った。

「そうなんでございますよ。実は、後妻で、幸吉というのは、前の女房の子でございます」

「先のかみさんは死んだのか……」

「いえ、それが、暇を出されましたんで……」

古い話だがと前おきして、長助の話すところによると、幸兵衛の先妻はおさんといって、もとは深川で芸者に出ていたという。

まだ若かった幸兵衛が熱くなって、夫婦になれなければ心中するとまでいって、母親を納得させ、身請けをして、晴れて女房にした。

その時はもうおさんのお腹には幸吉が出来ていて、嫁に来て半年足らずで出産となった。

「無事に子供も生まれたんですから、そこでめでたしめでたしで終りゃよかったんですが、どうも幸兵衛の母親と、おさんってのがうまく行きません。もともと、御隠居のほうには水商売の女っていう気持があったんでしょうし、おさんのほうもなかなか勝気な女でして……すみませんと手を突いてしまえばすむところを二つも三つも口返答をする……こりゃあやっぱり嫁さんがいけませんや」

姑《しゅうとめ》が原因で、夫婦喧嘩をするようになり、とうとう、おさんが去り状をとって三河屋をとび出してしまった。

「なんてったって子供があったんですし、隠居も、もう年なんだから、何事にも眼をつぶって御無理ごもっともで通しゃよかったものを、辛抱の出来なかったのはおさんのよろしくないところで……」

幸吉はその時、まだ乳呑児で、困り果てて乳母を連れてくるやら、子守をやとうやら、三河屋は暫くてんやわんやの有様だった。

「縁は異なものって申しますが、この時に子守で三河屋へ奉公に来たのが、今のおかみさんのお久仁さんで」

なにしろ、物心つく前から幸吉の面倒をみている、幸吉もすっかりなついていたし、お久仁のほうも情が移る。年頃になって来て、親元から何度か縁談があって暇をとるようにいって来たが、とうとうお久仁はいかなかった。

「まあ、いろいろ、いう人はいますが、やっぱり、幸吉と別れるのがしのびなかったってのが本当のところでしょう。そんなお久仁さんに幸兵衛旦那の気が動いて、お久仁さんが二十一の時、後妻におさまったんです」

幸兵衛とは二十歳近くも年が違ったが、夫婦仲がよく、例の姑もお久仁が気に入って、やはり、卒中で倒れて、三年もお久仁の看病を受けて、世を去った。

「成程、そんなくらいだから、幸吉と継母のお久仁とはうまく行っているのだろうな」

源三郎が問うた。長助が、ぼんのくぼに手をやった。

「へえ、それがその……ここんとこ、ちょっと……」
十八、九までまっとうに育った幸吉が、昨年あたりから、ひどく変った。ことごとにお久仁に反抗し、悪い友達とつき合い、岡場所の味もおぼえたらしい。
「お久仁さんも随分、心配して泣いて意見をしたりしてましたが、一ぺんこじれると生《な》さぬ仲ってのは、難しいようで……」

「幸兵衛の先妻の……おさんとかいう女は、今、どうしてるんだ」

黙って蕎麦をすすり込んでいた東吾がいった。

「へえ、三河屋を出たあとは、他の土地へ行って、又芸者をしているってききましたが、それから先のことは……」

長助の女房が、つめたい麦湯を運んで二階へ上って来た。

軒の風鈴がいい音をたてている。

三

お役者松と仇名される掏摸が、こともあろうに八丁堀の神林家へ訪ねて来たのは、七日の午《ひる》すぎで、兄の通之進は奉行所へ出仕して留守、東吾は自分の部屋で行儀悪く寝そべったまま、本を読んでいた。

「松吉と申す者が、若旦那様にお目にかかりたいと申して参りましたが……」

取次いだ用人は、東吾が町方と気易くつき合っているのを承知していて、大方、どこかの下っ引の若い者とでも思ったらしい。

気軽く玄関へ出て行った東吾にしても、むこうから名乗られるまでは、まさか、掏摸とは思わなかった。

「神林東吾様でいらっしゃいますか、手前は松吉……その、仲間からはお役者松と呼ばれて居ります者で……」

あっけにとられて、東吾は相手を眺めた。

色が白くて、上背がある。どちらかというと兄の通之進に面差しが似ているようである。

「お前がお役者松か、俺よりだいぶ男前だな」

くぐりをあけて、庭から自分の部屋へ連れて来た。

「しかし、よく来たな」

「へい」

相手は縁側へ腰をかけ、遠慮そうに小さくなっている。

「昔、仕事をしている時分なら、とても来られた義理じゃありませんが、ここ、しばらく、お上の御厄介になる仕事は、やめてるもので……」

「掏摸をやめたのか」

「へい……」

「何故だ……」

「女房子に死なれまして……あっし一人なら、それほど稼ぐ必要もねえので……」

兄嫁の香苗が、茶と菓子を自分で運んで来た。よもや、東吾の客が、掏摸とは思っていない。

「あの……」

香苗の去るのを窮屈そうに待っていた松吉が、すぐにいった。

「申しわけありませんが、例の奴を返して頂けませんでしょうか」

「財布か」

「あいつは、手前の仲間が……市介っていう奴ですが、仕事をして稼いだもので……まあ、普通なら諦めるところですが、あいつの女房がわずらっているんで……」

自分と間違えてあずけたために金がとれなくなったとあっては、知らん顔も出来なくなった、と松吉は生真面目に話した。

「あっしが仕事をしている時ですと、なんとかしてやれるんですが、あいにく休んで居ります最中で……」

東吾は笑い出した。八丁堀へやって来て、掏った金を返してくれというのからして可笑しいのに、お役者松は別に悪びれてもいない。

「わかった。俺はたしかに、お前の仲間に、俺のところまで取りにくれば、場合によっては返してやるといった。この場合、返してやらぬわけもあるまい」

あいにく、手許に二両しかなかった。財布の中身は三両と少々だが、それは畝源三郎があずかっているし、第一、それを渡すわけには行かない。

「俺が手紙を書くから、そいつを持って行って、もう一両、受けとってくれ」

るいにあてて、ざっと手紙を書いた。大川端の「かわせみ」を知っているかというと、松吉は、にやりと笑った。

「むかし、鬼と呼ばれた八丁堀の旦那のお嬢さまがやってなさる宿屋だそうで……」

「そいつを知っているなら、結構だ。この手紙を渡せば、間違いなく一両は都合してくれる。行って来い」

手紙に二両を添えて、東吾は永代橋の手前まで、お役者松を送って行った。

その足で、畝源三郎の屋敷へ行ってみると、ちょうど源三郎は町廻りを早めに切りあげて帰って来たところであった。

「ほう、お役者松が来ましたか」

源三郎も亦、東吾に何故、そいつを捕えなかったかなぞと野暮《やぼ》はいわなかった。

「よく、三両、ありましたな」

「一両足りなかったので、るいのところへ無心にやった。なんとかしてくれるだろう」

「いずれ、手前がなんとかします」

「そんなつもりでいったんじゃない。お役者松という男が気に入ったから、なけなしの懐中をはたいたんだ」

独り者の次男坊の気楽さで、こづかいが一文もなくとも、食うには一向、困らない。

「かわせみを教えて、大丈夫ですかな」

変なことで、巻きぞえにしては、という源三郎の配慮である。

「むこうは、かわせみの素性を知っていたよ。剣呑そうな顔をして行った」

お役者松が女房子を失くして以来、仕事をしていないといった話をすると、源三郎はうなずいた。

「そんな噂です。掏摸にはちょっと変ったのがいますから……」

いわゆる指先一本の技術でものを掏りとることを職人芸のように心得ていて、普通の盗みと、彼らなりの区別をしている。

「たしかに、神技に近い指を持っている奴がいるようですよ」

源三郎と東吾が八丁堀を出かけたのは、それから間もなくで、いったん、深川の長助の家へ行って、そこで身なりを変えた。

変装というほどではないが、二人とも浪人風にとりつくろい、夕風が吹き出した頃、裏口から外へ出た。

まっすぐやって来たのは、柳島村で、竜眼寺というのは、すぐにわかった。

天台宗で、浅草東光院の末寺だというが、境内は千坪余りもあろうかと思われるほど広く、茶店も三軒ばかり点在している。

両側は大名の下屋敷で木立に囲まれ、他は田と畑が続いている。

夏のことで、まだ明るく、境内には近所の子供が遊んでいるし、参詣らしい人の姿もぽつぽつみえる。境内は、萩寺の通称どおり、萩が多かった。

本堂のわきから庭にかけて、どこも萩がぎっしり植え込んであって、高さはおよそ五尺程度、花の咲く頃はかなりの美観であろうと思われた。

ざっと境内をまわって、

「それらしいのは、みえねえな」

脅迫状の犯人である。男と女の二人連れが一組、あとは老人が三、四人、茶店に休んでいるだけで、その中には幸吉を誘拐したらしい者は見当らない。

もっとも犯人が十両を受け取りにくるのは、夜中に近い時刻だ。

萩寺をひきあげて、尾行がないのを確かめながら、もう日の暮れた時刻、本所のちょっとした鰻屋で腹をこしらえた。

「案外、手紙を書いたのは、幸吉自身かも知れません」

源三郎が低声でいった。

この頃、ぐれて、育ての母親を泣かしているという幸吉である。悪い仲間との遊びの金に困って、そんな狂言を思いついたのかも知れないと源三郎はいう。

「母親は気がついていて、それで俺達の手出しを嫌ったというわけか」

そうも受け取れる。女子供でもない、いい若い者の幸吉が、力ずくで誘拐されるとしたら、余程、馴れている者が場所をえらんで実行しない限り、目撃者が現われそうに思える。

「玄人《くろうと》の手口にしては、手紙がぞんざいですし、十両という金高もまあ大人しい感じですな」

なんにしても、脅迫状がすられたことは、もし、財布の持ち主が脅迫者であれば、とうに気がついているだろうから、まず、今夜は来るわけがない。

「もっとも、昨日中に、新しく脅迫状を作り直して、三河屋へ届けるという手はあります」

三河屋を見張っていた長助の下っ引は、あやしい者は来なかったといっているが、客商売のことだし、相手がその気になれば、岡っ引の見張りの眼をかすめて、三河屋へ手紙を渡す方法はいくらでもある。

又、財布の持ち主が、すでに脅迫状を受けとった人間、つまり三河屋の誰かとすれば、犯人は手紙をすられたことを知らないから当然やってくる。

「三河屋の内儀も、手代も、あの財布に見おぼえはないといいましたが、これはどうともわかりません」

脅迫状が作った相手から、使いを通して三河屋へ届けられる途中にすられたとすると、これは、使いの、つまり、すられた人間が頼み主にそのことを話せば来ないし、知らぬ顔でいれば、来るという判断になる。

「まあ、ともかくも、です」

源三郎がおっとりと笑った。

「三河屋の内儀は行くようですから、こっちも無駄足は覚悟で……行かないわけには行きません」

更けてから、二人は店を出た。

今日も蒸し暑い一日だったから、夜になるのを待ちかねて、涼みに出ている人が、けっこう外を歩いている。

このあたりは武家屋敷も多いので、侍が歩いているのも幸い、目立たない。

ぶらぶら歩いているようにみせながら、源三郎も東吾も緊張していた。

萩寺の方に、夜鷹蕎麦の屋台が出ている。風鈴の音が涼しげだったが、これは長助の変装で、もともと、そっちが本職だから手つきは堂に入っている。

一人いた客が銭を払っているのをみてから、蕎麦を食べるような恰好で近づいた。

「まだ、それらしい人間は入っていませんようで……」

寺の門は四方にあるが、暮六ツ（午後七時）に三方は閉めてしまうので、夜の通行は、この裏門に限られているという。

この頃、流行りの稲荷鮨《いなりずし》の売り手が通りすがりに、ちょっとのぞき込んだと思うと、これが長助の下っ引の源太で、

「三河屋のかみさんは、もう店を出ました、一人です、まっすぐ、こっちへ向ってますから……」

ついと去った。その源太を含めて五、六人の下っ引が、今夜は寺のあちこちにもぐり込んでいる筈だ。

やがて、お久仁が来た。これは夜鷹蕎麦には見向きもせず、寺の中へ入って行く。すぐ源三郎が尾行し、東吾は見張ったが、寺の外にも、それっきり人通りはなくなって、屋台に下げた風鈴が時折、思い出したように吹く風にチリチリ鳴るばかりであった。

結局、その夜の張り込みは失敗した。

というより、いくら待っても十両の受取人が出て来なかったのである。

お久仁は境内の中を歩きまわり、やがて本堂の前に、長いことぽつんと立っていたが、丑《うし》の刻（午前二時）になって、手代の弥助が迎えに来た。

あまり遅いので心配になってやって来たという会話が、物かげにかくれている源三郎の耳にも聞え、

「どうぞ、もうお帰り下さいまし。おそらく、この分では参りますまい」

弥助にうながされて、力なくお久仁が寺から帰って行った。

四

「あの辺の蚊は、もの凄いんだ。着物の上からだって平気で刺すんだから……」

その夜、「かわせみ」へ泊って、翌朝、東吾はお吉や嘉助を相手に昨夜の張り込みの顚末を語った。

「やっぱり、来なかったんですねえ」

犯人は来ないというのが、「かわせみ」の連中の一致した意見のようである。

「脅迫状は三河屋へ届ける前だったんですよ。そうでなければ平仄《ひょうそく》が合いません」

朝飯の膳に、ぬたがついている。いつもと味が違った。

「やっぱり、お口に合いませんか」

お吉が可笑しそうにいった。

「板前さんが違うんですよ」

「変ったのか」

お吉が、るいをみて、るいが悪戯《いたずら》っぽい眼をした。

「東吾様のおかげで、変な人をやとっちゃったんですよ」

お吉に案内されて台所をのぞいてみると、せっせと客の膳に盛りつけをしているのが、お役者松である。東吾に気がつくと別段、驚いたふうもなく、ぺこりと頭を下げた。

「三両の分だけ、働かしてくれって……」

昨日、東吾の手紙を持って来たので、るいが一両出してやると、一度帰り、夕方、又やって来た。

「御迷惑をかけてすまないから、働きで返させてくれっていうんです。ことわったんですけれど、話をきいている中に面白くなってしまって……」

松吉は掏摸の足を洗って、板前修業をしていた最中だったという。

「もっとも、足を洗うっていうより、休業中っていったほうが正しいんだそうですよ。やめるって仲間にいったわけでもないし、決心したのでもないんですって、ただ、やりたくないからしない……無理に働かなくっても、養う家族がないんだそうです」

面白くなってやとったというだけあってるいはいろいろなことをお役者松からきいていた。

「おかみさんと子供さん、はやり病で逝《い》っちまったそうですよ」

仕事に出る時は、普通の恰好で家を出て、別に借りてる家へ行ってその日その日の好みの扮装をして稼ぎに出るのだという。

「借りてる家ってのも、お仲間ですって」

但し、その仲間というのは、本業は按摩で夫婦とも眼がみえないから、お役者松にとっては、なにかと便利でもあったらしい。

「掏摸って、商売だと思ってるんですよ。なるべく、すられて困るような人からはすりませんって……」

女中達は、もっぱら、お役者松がどのくらい東吾に似ているかで大さわぎをしている。

「お吉は横顔は全然、似てないけど、正面からみて、少し、うつむき加減の時が、まあ、夜だったら間違えるかも知れないって……」

お役者松の変装の中で、一番、うまかったのが侍で、これは芝居の「四谷怪談」の伊右衛門を真似たという。

「東吾様に捨てられたら、あたしもお岩のように化けてやるって、お吉をおどかしてやったんです」

「俺が、捨てるか」

「さあ、どうでしょう、どこかのお梅さんに惚れられたら……」

東吾はあまり気が進まなかったが、るいはすっかりお役者松を面白がって、当分、働いてもらうつもりでいる。もっとも、給金は別に払ってやる気でいるし、別に借金のかたに働かせているのではないとがんばっている。

「とにかく、気をつけてくれ、なにかあってからじゃとりかえしがつかない」

嘉助にもお吉にもよくいい含めて、東吾はちょっといやな顔をして八丁堀へ帰った。

自分にどこか似た男が、るいの傍で働いているというのが、どうも気に入らない。

三河屋幸兵衛の家に泥棒が入って、問屋へ支払う五十両をそっくり盗んで行ったという知らせをきいたのは、それから三日目であった。

三河屋の手代が、長助のところへ訴えたのが、泥棒に入られた翌朝で、届け出が遅れたのは、

「旦那様の容態が急に悪くなりまして……」

泥棒に入られた衝撃で呼吸が苦しくなり、二度目の発作を起したという。

医者を呼びに行ったりしている中に夜があけて、幸兵衛は未だに昏睡状態で、五十両の被害は大きいが、女房のお久仁はそれどころではない有様だという。

やがて、深川へ行っていた源三郎が八丁堀へ戻って来ての話では、

「どうも、様子が可笑《おか》しいんです」

五十両、泥棒に盗まれたのも、それがもとで幸兵衛が発作を起したのも事実だが、

「泥棒がいつ入って、いつ逃げたのか、どんな風体の者か、お久仁の申し立てが曖昧なのです」

女のことで、気が転倒したにしても、取調べに対してちぐはぐなところが多く、

「お久仁は犯人を知っていて、かばっているような案配じゃないかと思います」

現場の様子からしても、犯人は二人以上、内部の様子をよく知っている者の仕業に違いないというのが、源三郎の調べた結果である。

「どうも、被害を受けたほうが、犯人をかくすのでは、埒《らち》があきません」

「幸吉が一枚、かんでいるんだな」

「おそらく、そうでしょう。しかし、証拠がなければ、しょっぴくわけには行きませ

ん」

手代と小僧は二階にいて、泥棒が入ったと気がついて階段を下りかけると、お久仁が上がって来て、もう金は渡したし、さわいで怪我でもすると大変だから、そこを動かないでくれといい、実際、弥助がお久仁を突きのけるようにして下りて行ってみると、泥だらけな足跡が残っているだけで、あけっぱなしの入口の戸がかすかに揺れていたという。

入口の戸をあけたのは、お久仁で、犯人はさも近所の者が夜更けて酒を買いに来たように声をかけ、うっかりお久仁はくぐり戸をあけてしまい、泥棒を内へ入れる結果になってしまった。

「それも、ちょっと可笑しいな、あのしっかり者の女房が、まして用心深い商家で、声をかけられて相手を確かめもせず、戸をあけるわけがない」

おそらく、声をかけたのが幸吉で、お久仁は息子が帰って来たのを喜んで、慌てて戸をあけたというのが本当のところだと東吾も思う。泥棒の仲間に我が子が加わっていれば、手代や小僧に下へおりてくるなと、お久仁がいった意味も解ける。

「どうも、女は、生さぬ仲だの、義理だの、情だのに絡まれると、面倒になって困ります」

五十両の金は三河屋にとっても大金で、それがないと、店をしめかねない内情でもあるのに、お久仁は少しも、捜査に協力しようとしない。

「とにかく、こっちは三河屋を張り込む一方です」

我々の仕事は根気だけだと、いささか苦笑して源三郎がいったが、その夕方、お久仁が慌しく、人目をしのんで出かけて行ったという知らせも、その張り込みのおかげであった。

下っ引が尾行して、長助が追った。

行った先が、須崎村で、長助から追いかけての注進があり、その下っ引に案内されて源三郎が現場へ到着してみると、思いがけない有様になっていた。

一軒のちいさな、農家のはなれを借りて、そこに住んでいたのが、幸吉の母親のおさんであった。そこへお久仁は訪ねて行って、幸兵衛が死にかけていることを告げ、幸吉を返してくれと頼んだという。

「おさんって女は、淫売でもしていたらしく、そりゃひどいもので……近頃は板前くずれの辰吉って男に入れあげていたそうです」

幸吉は無論、そこにいて、お久仁は涙ながらに一度でいいから、家へ帰って、幸兵衛を安心させてくれと頼み、結局、幸吉もその気になって立ち上った。

「いきなり、おさんが出刃庖丁でお久仁を突こうとしたんです」

悪い病気で頭が少し可笑しくなっていたのと、母の意地で息子を奪られまいとかっとなったのと、

「まあ、両方でございましょう、あっしも慌ててとび込みましたが、その前に幸吉が咄

嗟にお久仁をかばいまして……」

幸吉が刺された。長助がとび込んで介抱しようとする中に、おさんは下っ引の手をふり払って外へとび出し、追われると大川へとび込んだ。

「すぐ、若い者がとび込みまして、なんとかひっぱり上げたんですが、もう息がありませんで……かなり、体を悪くしていたといいますから……」

幸吉は脇腹を刺されていて重傷だが、

「こっちは、ひょっとすると助かるかも知れません」

血は水よりも濃いというが、やはり産みの親より育ての親で、いざという時、本能的に養母をかばった幸吉に、長助は感動しているらしく、助かるものなら助けてやりたいと、夢中になっている。

「五十両はどうなんだ。その家にあったのか」

昨夜の今日だから、まだ全部、費《つか》ってしまったわけもあるまいと東吾は思案した。五十両が戻れば、三河屋も助かるし、幸吉の罪も軽くなる。

「それが、ねえんです」

源三郎について来た長助が情なさそうな顔をした。

「家中、さがしたんですが……」

幸吉は怪我で今のところ、口のきける状態ではなく、

「あて推量ですが、大方、おさんが夢中になっている辰吉に渡したんじゃねえかと……」

辰吉が、お久仁が訪ねて行く少し前に、その家から出て行くのを、農家の者がみているのだ。

「辰吉の行方《ゆくえ》は……」

「家にいます。若い連中を張り込ましていますが、湯に行ったり、……めかし込んでいるようで……」

辰吉は吉原の小亀という女郎に熱くなって、このところ入りびたりだという。

「東吾さん……」

源三郎が、ちょっと東吾の耳に口を寄せた。

「お役者松は、まだ、かわせみにいるでしょうな」

半刻足らずの中に、東吾はお役者松を連れて、辰吉の家へかけつけた。

「今、出かけるところだ、間に合うかとはらはらしていたのだが……」

源三郎と長助が隣家へ張り込んで待っていた。

その家の窓から、辰吉の家の入口がよくみえる。

待つ間もなく、辰吉が出て来た。

頭のてっぺんから、足の先まで磨き上げたという恰好で……、

「五十両は、懐中ですよ、あの腰つきからいっても間違いはありません」

じっとみていた松吉がいい切った。

「たのむぞ」

「旦那には借りがありますからね」

笑いもしないで、お役者松はすっと出て行った。

再び、半刻。

「へい、確かに……」

お役者松の声が路地にひびいて、東吾の眼の前にずしりと重い包が、差し出された。

「幸吉が可笑しくなったのは、おさんに逢ってからなんだ。いろいろと息子に入れ智恵したらしいよ、弥助とお久仁の仲が可笑しいとか……」

すっかり、落ちついた「かわせみ」のるいの部屋で、東吾は源三郎からのうけ売りをした。

「おさんって人、ひどいじゃありませんか、自分が勝手に別れたのに……」

「そこが女さ、落ちぶれてみると、後釜になった女も憎い、悴には逢いたい……血をわけた息子が赤の他人の女をおっ母さん呼ばわりしてるのも癪だったんだろう」

「育てもしないで……産んだだけで親だなんて、犬や猫だって、子を育てるものなのに……」

「お久仁の苦労は無駄じゃなかった、いざという時、幸吉に助けられたんだ」

その幸吉の怪我は次第に回復していて、

「幸兵衛のほうは、とうとういけなかったらしいが、……息子が助かりそうだって、長助親分は喜んでたよ」

「おさんって人も馬鹿じゃありませんか、息子に手引きさせて金をとって、辰吉にみついだって、そいつは別の女に入れあげてしまう……」

「金は天下のまわりものさ」

るいの酌で、大川を眺めながら、東吾はもう何度もくり返した台詞《せりふ》を口にした。

「おい、お前、お役者松を、いつまでここへおいとくつもりだ」

返事のかわりに、お吉がぬたを運んで来た。

眉《まゆ》をしかめ、それでもうまそうに東吾は早速、ぬたの小鉢へ箸をのばす。

明日も、かっと暑くなりそうな、大川端の夕暮れである。

迷子《まいご》石《いし》

一

湯島天神の別当寺、喜見院の境内に、奇縁氷人石というのがあった。

高さは六尺ばかりの四角い石で、表に「奇縁氷人石」、右側に「たずぬる方」、左側に「おしゆる方」と彫ってある。

俗に迷子石といわれていた。

子供にはぐれた親は、その子の生年月日や名前、特徴を書いた紙を「たずぬる方」のほうへ張りつけて行く、迷子を拾ったほうはやはり、その子の特徴を書いて、「おしゆる方」へ張り出しておく、つまり、迷子をさがす親の仲だちをするというので「奇縁氷人石」の名がつけられたものらしい。

家の中にひっこんでいるのが惜しいような秋晴れの日、るいは大川端から珍しく一人で湯島に住んでいる知人を訪ねに出た。

るいの父親が八丁堀の同心だった時分、世話をしたりされたりの間柄だった家で、今秋、初孫が生まれた祝いのためである。

北村というその家の主は御先手組に勤めていて、以前、るいが侍の娘であった頃、今度、子の生まれた長男の嫁にと望まれたことがあったのだが、当時のるいは、もう心に神林東吾という男があったから、この縁談はまとまらないままに終ってしまった。

祝いものを届け、もう数日でお宮参りだという、まるまると肥った男の赤ん坊をみせてもらっての帰り途、ここまで来てのついでだからと湯島天神に詣でて、つい、喜見院にまで足がのびた。

ここは、以前、東吾と逢った場所でもあった。

湯島聖堂や、九段の練兵館の稽古場へ通うことの多かった東吾と、よくこのあたりで待ち合せて、束の間の逢瀬を持ったのも、今はなつかしい。

湯島から八丁堀までの道を、二人で歩く分には決して長いとも思わなかったあの頃が、つい昨日のことのようなのに、あれから数えても、もう五年の歳月が経っている。

想い想われた東吾とは夫婦同然の仲だが、まだ晴れて女房と呼ばれるあてのないるいでもあった。

迷子石だが、氷人石という言葉には男女の縁結びの意味もあるそれを、るいは足を止めて眺めていた。

石の左右には、いつものように何枚かの紙が重なり合うように張りつけられていて、夕風に吹かれているのが、僅かにものがなしい。

「あの、もし……」

声をかけられて、るいはふりむいた。

片手に、なにやら書いてある紙片を持った若い女がおぼつかない表情で立っている。

「まことにおそれ入りますが、そのおしゆる方のほうの張り紙に、この子らしいものは見当りますまいか、お手数ではございますが、お調べ頂けませぬか」

口のきき方も物腰も侍の家の育ちとみえた。

それにしては、文字が読めないのが可笑しいと思ったのだが、気がついてみると、女は眼が悪いようである。

「お安い御用でございます」

女の差し出す紙をみた。

すず、五歳、迷子になりたる時は麻の葉の着物に赤い袖、左の眼のふちに、目立つほくろあり、と書いてある。勿論、眼の悪い女が書いたのではなく、人に頼んで書いてもらったのであろう。女の人柄にふさわしくない文字であった。

「おすずさん……五歳のお子でございますね」

石の脇に膝を落して、るいは丹念に石に張られた紙をみていったが、そういうのは、とうとう見つからない。

「申しわけございませんが、女のお子のは一枚も……あいにくでございますね」

気の毒そうに、るいは告げた。

「左様でございますか、ありがとう存じました」

丁寧に頭を下げたが、心残りのように少しその場に立っている。眼が不自由で、自分でそれとたしかめられなかったのが、もの足りないのであろうと、るいは女の気持を察して、さりげなくその場を立ち去ったのだが、本堂でお詣りをすませての帰途、何気なく迷子石のほうをみると、先刻の女が、又、別の参詣人に乞うて、例の紙片の子を、迷子石の張り紙の中から探してもらっているふうなのが、ちらとみえた。

別に、るいの言葉を疑ってそうしたのではなく、ないといわれてもいわれても、別の人に訊ねてみずにはいられないのが、子を迷子にした親の気持に違いないと思いながら、なにか悪いものを見たような気がして、るいは慌てて走り去った。

大川端の「かわせみ」へ帰ってくると、

「遅うございましたね。おみえでございますよ」

番頭の嘉助が嬉しそうに知らせた。

「只今、お風呂をお召しでございます」

成程、湯殿のほうからお吉を相手に喋っている東吾の声が聞えてくる。

嘉助の手前、あまり、いそいそしたふりをみせまいと思いながら、その時はもう、るいの足音がはずみながら居間へ急いでいた。

ざっと身じまいを直して、風呂場へ出て行くと、

「今度は、どこで殺されたんですか」

いきなり、物騒な会話が聞えた。

「日本橋だ。本町通りの、ちょいと路地を入ったお稲荷さんの境内でね」

「あんなににぎやかなところでですか」

「それも宵の口なんだ。肩先から一太刀でね、凄いような腕だな」

ざっと湯をかぶる音がして、東吾が風呂から上って来た。お吉は外の焚き口のほうにいるらしい。

「なんだ、帰ったのか」

「辻斬りですか、例の……」

流石《さすが》に八丁堀の娘だったから、巷の噂には関心が強く、短い会話で、ぴんとくる。

もっとも、この夏の終りあたりから、江戸の町に出没している辻斬りの噂は、秋が深くなるにつれて被害は大きくなる一方で、近頃は寄るとさわると、その話でもちきりになる始末でもあった。

犯人は一人で、侍らしいというだけで今だに八丁堀でも素性がつかめない。

現われるのは宵の口から深夜まで、場所は最初、神田を中心とした、いわゆる古町と呼ばれるあたりだったのが、次第に行動半径が広がって、深川、本所、浅草へのびている。

襲われるのは、きまって路上で、一太刀で殺害され、所持品で盗まれるのは金だけであった。

「まだ、なんにも手がかりがないんですか」

湯上りの浴衣に半纏を着せかけて、お吉が酒を運んでくるまでの一息に、香ばしい、番茶をいれながら、るいは眉をひそめた。

「残念ながら、源さんも血眼になっているが、どうにも埒があかないんだ。このところ、一夜あければ一人が殺されている……」

町方は躍起になって走りまわっているが、その裏をかくような犯人の出没ぶりで、手がかりどころか、下手人の目撃者も、いまだに出て来ないという。

「襲われた奴は、すべて殺されているんだ」

「それにしたって、殺された人が、きゃあとか、助けてとかどなって、人が来て、その時、辻斬りの後姿をみたとかなんとかいうのも、ないわけですか」

お膳を運んで来て、早速、お吉が口を出す。

「殺された奴は、ぎゃあともすうともいっていないらしいな。すぐ近くにいながら、叫び声をきいた者がない。ということは、声も立てずに斬り殺されている。あの斬られ方なら、まず、そうだろう」

「今時分、浪人でいるんですかねえ、そんな凄い人が……」

お吉が不服そうな顔をした。お吉の知る限り、貧乏暮しの浪人は内職は上手でも、刀を持たせたら、横丁の腕白より頼りにならないものと相場がきまっていた。実際、よくよくのことでなければ、侍といえども人を斬る必要のない御時世でもあったのだ。

「そりゃあいるだろう。世の中、広いんだ」

東吾が苦笑した。

「第一、浪人ときまったものじゃない」

「まさか、御身分のあるお侍が……」

「だから、世の中、広いといっている。それに、滅法、腕が立つから侍ときめてかかるのもどうかと源さんにいったんだ。相手は何一つ、手がかりを残しちゃいない、浪人らしい、侍らしいと当て推量で始めるのは剣呑じゃないかとね」

口では他人事のようにいっているが、ここ暫く、東吾が「かわせみ」へ来なかったのをみても、おそらくは、八丁堀同心である友人の畝源三郎に肩入れして、辻斬り探索の片棒をかついでいたに相違ないと、るいもお吉も察しがついている。

「よろしいんですか、今夜、ここへお泊りになっても……」

酒の燗をつけながら、るいはそっと東吾の顔色を窺った。当人は与力でも同心でもないのに、こういうことになると、まことに熱心に協力する東吾をよく知っている。それだけに一杯飲んだら、気軽く腰を上げるのではないかと不安であった。

正直の話、そんなに腕の立つ辻斬りの探索を手伝って、もし怪我でもされたらと心配でもあった。

「江戸の町は広いんだ。盲滅法走り廻ったからといって辻斬りに出くわすものでもなかろう。たまには、るいの顔でもみて、酒でも飲んだら、いい智恵が浮ぶかも知れないさ」

東吾は笑って盃をあけたが、間もなくるいの膝枕で鼾《いびき》をかきはじめた。

「よっぽど、お疲れになっていらっしゃるんですよ。畝さまがおみえになったら、いってやりましょう。お役人でもないお人を、なにかというと、すぐ捕物にひっぱり出すんですからね」

お吉は憤慨したが、るいは苦笑したきり、なにもいわなかった。自分の膝で安心しきってねむっている男の顔を眺めているだけで、幸せがこみ上げてくる。

夜になって降り出した雨が、いつの間にか、かなり激しくなっている。秋から、ゆっくり冬の近づくのを知らせるような雨の音であった。

二

一夜あけて、雨の上った大川端へ、畝源三郎が寝不足の顔でやって来た。

昨夜、あの雨の中で辻斬りは又しても犠牲者を出したという。

しかも、一夜に二人で、一人は京橋の町医者で源庵といい、患家を訪ねての帰途、凶行に遇ったものである。そして、源庵が殺された場所から五間とはなれていない、与作屋敷の横で、八丁堀同心、池田吉兵衛が、これも源庵と同じく肩先から斬り下げられて死体になっていた。

惨劇のあったのは、八丁堀とは眼と鼻の先だし、町方同心が殺されたとあっては、町奉行所の面目丸つぶれである。

「ねえ、危いことをなすってはいや」

畝源三郎がみているのもかまわず、すがりついてくるるいの手を退けて、東吾は大川端を出た足で、まっすぐ京橋へ向った。

殺された池田吉兵衛というのは、東吾の兄、神林通之進が眼をかけていた同心で、よく屋敷に出入りをしていたから、東吾も顔なじみであった。

もう五十を越えた分別盛りで、定廻りとしては年長者でもあり、上役にも下役にも評判のいい人物である。それが殺されたとあっては、畝源三郎が知らせにくるのも当然だし、東吾にしても、るいの手をふり切ってもとび出さずには居られない。

現場へついてみると、池田吉兵衛の死骸はすでに八丁堀へ引き取られて、京橋ぎわの自身番には、源庵の死体だけが残っていた。

「ああ、畝の旦那……」

番屋の中には、池田吉兵衛から手札をもらって、岡っ引をつとめている源七というのが、これもまっ青な顔で、自身番の老爺と突っ立っている。

昨夜、池田吉兵衛の供をして、このあたりの夜廻りをしたのは、源七だという。

「あっしが、どじなもので、とりかえしのつかねえことをしてしまいました」

しょげかえっているわけをきいてみると、昨夜、吉兵衛が源七を連れて夜廻りをすませ、雨の中を京橋まで戻って来たのが九ツ（午後十二時）すぎ、折柄の激しい雨と昨今の辻斬りさわぎで、もう人通りは全くといってよいほどなかった。

本来なら、まっすぐ八丁堀への道を行くところを、

「池田の旦那が、ちょいと気にかかることがあるから、そこの自身番へ寄って様子をみようとおっしゃったんで……へえ」

比丘尼《びくに》橋を渡って、紺屋町の通りへ出たあたりだったという。

いわれるままに、源七は一足先に自身番へとび込んだ。番屋の老爺に声をかけて、あとから入ってくる吉兵衛のために、炉の火を足したり、熱い湯茶の用意にかかった。

「なにしろ、あの雨の中を二刻以上もお廻りになったんで、少しでも濡れたものを乾かして、熱いものを召し上って頂こうと思いまして……」

ところが、一足あとから自身番へ入ってくる筈の吉兵衛が来ない。外へ出てみたが、どしゃ降りの雨だし、それらしい姿も見当らない。仕方がないので、そのまま、番屋へ戻って来て、

「途中でお気が変って、まっすぐ八丁堀へお帰りになったんじゃねえかと思いまして、あっしは、そのまま、ここへ泊り込んじまいました」

吉兵衛の死体が発見されたのは朝になってからで、京橋を渡って、すぐ左に折れた川っぷち、昼間なら番屋から見渡せる近さであった。

それほどの近さなのに、源七も自身番の老人も、吉兵衛の声をきいていないのは、一つには、あのひどい雨音にかき消されてのことかも知れなかった。

源七に案内されて、吉兵衛の殺された場所へ行ってみた。成程、自身番とは川をへだてて、ななめ筋むかいであり、声をかければ、容易に聞えるほどの距離である。

「おそらく、池田どのは、なにか不審を感じて、ここまで追ってみえたものでしょうか」

そこから五間ほど先に、源庵が殺害されていたわけである。吉兵衛がみたのは、雨の中で、加害者が源庵に襲いかかる瞬間でもあったろうか。

「昨夜の九ツすぎというと、雨が一番、激しかった時期です。暗いこの附近だと、池田どのが提灯のあかりをむけたところで、一間先がおぼろにみえるほどではなかったでしょうか」

そんな時に、長年、きたえ抜いた定廻りの勘が、暗闇の中で異変を感じとったのが、かえって、彼の命とりになった。

「しかし、吉兵衛どのは居合の手だれだ、死体はどうだったのか。抜き合していたのか」

東吾の問いに、源三郎が首をふった。

「いや、柄《つか》にも手をかけていません、右手に十手を握りしめただけで……」

左手に持っていた筈の提灯は、死体の近くにころげていたという。

「可笑しいじゃないか、源さん」

提灯のあかりがあったのだから、不審な人物が前に立てば、吉兵衛が刀に手をかけないわけがない。

「斬られたのは背後からか」

「いえ前方からと思われます」

左肩から胸にかけて深く斬り下されているというのだ。

「前から、刀の届く近さにまで相手が来ているのだ。吉兵衛どのには相手の姿が雨の中とはいっても、みえただろう。吉兵衛どののほどの練達した定廻りが、それでも刀に手をかけなかったのは、油断したというより、相手が吉兵衛どのからみて、連夜の辻斬りではないと思わせる、なにかがあったからではないのか」

東吾の言葉に、源三郎がうなずいた。

「つまり、我々が常識で考えるような辻斬りの恰好をしていなかったということですな」

川に沿って、八丁堀へ歩き出した。東吾としては、池田吉兵衛の死体もみておきたいし、線香の一本も捧げたい気持である。

大川から流れをひき込んだその川に小舟が一艘、忘れられたように浮んでいた。

青竹がかなり積んである。竹を運ぶ舟のようであった。岸辺にもやってあるが、人は誰も乗っていないもう、黄ばんだ柳の葉に風が吹いていた。

のどかな秋の風景は、前夜、ここで人殺しの血が流れたのが嘘のようである。

吉兵衛の屋敷へ行ってみると、通之進が来ていた。

屋敷といっても、八丁堀の官舎で、俗にいうお長屋である。たいして広くもないところへ、思いがけない変事をきいてかけつけた人がごった返している。

源三郎と入って来た東吾を見ると、通之進は自分で、吉兵衛の死骸のある奥へ案内した。

「惜しい男を殺してしまった」

その眼の中に激しい怒りがあった。東吾は黙々と源三郎の介添えで、死骸の傷口をあらためた。

今までに見た傷口と殆ど変らない。やはり、下手人は一人に違いなかった。

「東吾、お前はどう思う」

形ばかりの通夜を終えて、屋敷へ帰ってくると、通之進が訊ねた。

無論、どう思うとは、辻斬り犯人のことについてである。

「定廻りの多くは、よほど腕の立つ浪人ではないかと申して居るが……」

「さあ、手前には、まだ……」

東吾は慎重であった。

「ただ、何故かと思うことが二、三ございます」

「一つは、あまりに自信たっぷりな斬り方です。まるで据え物斬りでもするように、なんのためらいもなく……」

「何故……」

相手の抵抗を全く考慮に入れていない斬殺だと東吾はいった。

「手前はまだ人を斬ったことはありませんが、源さんの手伝いをして、白刃をくぐったことは何度かございます」

侍というのは、防禦にしろ、攻撃にしろ、相手の動きを計算に入れて、刀を抜くのではないかと東吾はいった。

それは、人を斬ろうという時には、もっとも得意な刀の使い方をする筈で、下手人が袈裟がけを得意とし、それのみによって殺人をくり返しているのは、まあわかるとして、

「同じ袈裟がけでも、相手によって呼吸が違うものではないでしょうか。手前がみる限り、今度の下手人は、いつも、同じ呼吸で、同じ斬り方をくり返しています。剣を学んだ者に、左様なことが出来るものかどうか……」

「成程……」

通之進が深くうなずいた。

「東吾のいうところ、一々、参考になった。早速、明日、奉行所にて、申し上げてみよう」

別に、弟へいった。

「畝源三郎の手伝いをするのはとがめぬが、くれぐれも心せよ、池田吉兵衛が殺《や》られた相手だ。要心の上にも要心を致せよ」

三

だが、奉行所をあげての探索にもかかわらず、辻斬りは毎夜続いた。

昨夜、本所に現われたかと思えば、次の夜は赤坂、そして鉄砲洲へ跳梁する。

相変らず、目撃者はなかった。

その日、東吾が大川端を「かわせみ」の近くまで来ると、畝源三郎が秋の陽の中を汗だらけになってやってくるのに行き合った。

このところ、二日ばかり、彼の姿をみなかった。なにか、独自に歩きまわっていたらしい。

東吾が声をかける前に、源三郎が気がついて、近づいて来た。

「東吾さんの兄上の御指図で、刀屋をまわっていたのです」

堤のふちで一息ついて、源三郎が早速いった。

「刀屋……」

「はあ、研師《とぎし》を当ってみるように申しつかりました」

辻斬りが刀を研ぎに出すという見込みかと思ったが、そうではないという。

「なるべく、腕のいい研師で、しかも、あまり近頃、仕事をしていない者をみつけるようにといわれまして……どうやら、東吾さんのいわれたことがきっかけのようです」

源三郎にいわれて、東吾は、はっとした。

「源さん、研師は、ためし斬りをするな」

「左様です。まず、侍でなく、据え物斬りに長じているとすれば、刀工、研師……」

刀工は、自分の鍛えた刀の真価をみるために、研師は、研いだ刀をためすために、腕のいい職人なら、ためし斬りの経験はある。

無論、彼らが斬るのは巻藁や竹などに限られているのだが。

「で、心当りは……」

江戸中に刀工、研師の数は決して少くはない。

「一人だけ……気になる男がございます」

「どこだ、住みかは……」

打てば響くような東吾の問いである。

「下谷、黒門町近く……」

「源さん……」

東吾の声は、はずんだ。

「ひょっとすると瓢簞《ひょうたん》から駒かも知れないぞ」

「手前もそう思います」

辻斬りが出没していないのが、ちょうど下谷を中心とするこの一角だけであった。

犯人が地元を避けたとも考えられる。

「独り者か」

「いや、女房子が居ります。ただ、子供は……五歳になる女の子だったそうですが、この夏、迷子になって、いまだに行方が知れませんそうで……」

「迷子……」

「四十近くなって、はじめて恵まれた子だったそうで、左吉は大変に、その子を可愛がっていたようですが」

左吉というのが、その研師の名であった。

「今は商売をそっちのけにして、毎日毎夜、青竹売りをしながら、子供の行方をさがしているそうです」

「青竹売り……」

その時、女の悲鳴がきこえた。

続いて、

「誰かっ、誰か来て下さい」

るいの声だと思ったとたん、東吾は地を蹴っていた。

大川端を、「かわせみ」の宿がもうみえる路上で、るいが女を抱きおこしていた。

東吾と源三郎がかけつけた時には、「かわせみ」のほうから、るいの声をきいてとんで来た嘉助やお吉がるいを取り巻いている。

「るい、大丈夫か……」

夢中になって、東吾はるいを抱き上げたが、るいの胸許についていた血は、抱きおこした女のもので、るいは、むしろ、あっけにとられている。

「お医者を……早く……」

嘉助が走り、傷ついた女はとりあえず「かわせみ」の裏口から運び込んだ。

お吉も、源三郎も止血の心得があるから、医者がくるまでにざっと手当が出来る。

女は肩先を斬られていた。出血はひどいがそれほど深くはなく、医者の話では、助かるだろうという。

「命は、なんとか……」

「やっぱり……あの人ですよ」

女の枕許で、るいがいった。

「この人に、湯島で逢ったことがあるんです、迷子石のところで……」

「かわせみ」の二階で、お吉と干した客布団をしまっていて、るいがなんの気なしに窓から外をみると、川っぷちの道のすみに、この女が立っていて、青竹売りらしい男となにか争っているふうにみえたという。

「お嬢さんが、なんだが様子が可笑しいっておっしゃって、下へおりて行かれて、あたしは二階からのぞいていたんです、いきなり、ぴかっと光って、女の人が倒れかかって……あたしも夢中で下へ走って行きまして……」

るいが、女の傍へ行った時には、青竹売りはどこにもみえず、血の中で女がうめいていた。

「湯島の迷子石のところで、この女をみたというんだな」

東吾は勢い込んだ。

「そうなんです。五歳の女の子、おすずさんっていうらしいんですけど、迷子になってしまって……この人、眼が悪いのに……さがしていたんですよ」

「おすず、といいましたか」

源三郎が彼らしくもなく大声を出した。

「東吾さん、左吉の娘も、おすずというんです」

二人は「かわせみ」をとび出した。

大川端では夕暮れだったが、秋の陽は釣瓶《つるべ》落しで、下谷黒門町へ着いた時は、もう、とっぷりと暮れている。

左吉の住んでいる長屋はすぐにわかった。

すでに、源三郎が、浅草の刀商からきいている。

家に左吉は戻っていなかった。

一応、家主を立会人にして、家の中を捜したが、刀は一本も出て来ない。

「おすずちゃんが迷子になってから、研ぎの仕事は、ふっつり、断っちまっているようですから……」

左吉というのは生一本だが、正直者で、家主にしても、何故、町方の旦那が家中を改めるのか合点が行かないという表情であった。近所の評判も悪くない。

「おすずちゃんが迷子になってからは、狂ったように探し歩いていましたけれど……そりゃあ別に……どこの親だって、かわいがっている子を迷子にすりゃあ、ああなりますよ」

左吉の女房は、おきよといって、眼が悪くなったのは、おすずを産んでからのことらしかった。

いわゆる高年出産で、母親の体力の衰えが、視力のほうへ来たものだろう。まるっきり、みえないわけではなく、日常生活にそう困るふうではないが、

「夜は、まるでいけなかったんじゃありませんか」

家主の話をざっときいて、源三郎は、左吉が戻ったら、当人に知れないように知らせるよういい含めて、近くの岡っ引で、本業は湯屋をしている七五郎のところへ寄った。

ここでも、研師左吉の評判は悪くない。

「おすずちゃんのことは、全く、気の毒なことをしました」

七五郎が思いがけないことをいい出した。

「迷子になったのは本当ですが……」

実は殺されていたらしいという。

「夏の終りでしたよ。おすずちゃんが迷子になって七日か十日か……四谷のほうから、

それらしい子を知っていると……、へえ、うちの若い衆がきいて来ました」

おすずが迷子になってから、左吉はありとあらゆる人に、子供の消息をきいていたし、七五郎のところでも気の毒に思って、心当りがないか、仲間に問い合せてやっていたという。

「着ているものなんかが、どうもそうらしいっていうんで、あっしが左吉を連れて四谷まで行きました、暑い日で……」

行ってみると、そこは寺で、五歳の女の子はすでに死体になっていた。

「悪い奴がいるもんで……あんなちっちゃな子に悪戯をしたあげく、首をしめて殺しちまったようで……」

寺の裏の墓場に捨てられていたのを坊主が驚いて、近所の岡っ引に知らせて来たという。

「ま、寺の中のことですから、本来ならお寺社のお係ですが、寺も表向きになるのを嫌いまして……町方のほうへ頼んで、死体のあったのは寺の外っていうような案配で形をつけたんでございましょう」

勿論、それにはいくらかの金が動いたに違いなく、七五郎は自分が懐をこやしたわけでもないのに、ぼんのくぼをかいている。

「その女の子が、おすずだったのか」

あまりのことに、東吾も源三郎も眉をひそめた。年端も行かない幼児に悪戯をして殺すなどとは、憎んでも飽き足らない所業だと思う。

「へえ……それが、左吉は違うと申しましたんで……こりゃあ、俺のおすずじゃないと、はっきり申しました」

迷子になってからは七日か十日経っていたが、殺されてからは、まだ一昼夜ほどで、死体が変質していたわけではない。我が子を父親が見違える筈がないので、

「俺なんかも、一度はそうかと思いました。それにしては可笑しいのは、左吉が金を出して、その女の子の供養をし、その四谷の寺に小さな墓まで建てたことでございます」

我が子かと思って見に来たのもなにかの因縁だから、というのが左吉の弁解だったが、

「その寺の話では、毎日のように、左吉がやって来て、墓の前で泣いている。あれはてっきりということになりました」

「左吉は一人か、女房はどうしたんだ」

「かみさんは知りません、左吉が話さなかったようで、未だに迷子と思っています」

そもそも、おすずが迷子になったのは、母親のおきよが連れて、浅草へ出かけ、雑踏で見失ってしまったものである。

「それだけに、おきよさんは亭主にもすまねえと、毎日、泣いていましたからねえ、左吉にしてみりゃ、かわいそうで、死んだとはいえなかったんじゃありませんか」

七五郎はしんみりと鼻をすすった。

子供を持ったことのまだない東吾にも源三郎にも、左吉の心情は次第に、はっきりして来た。

中年になって、はじめて恵まれた女の子である。どれほど可愛かったであろう。その一人娘が浅草で迷子になった。

やっと、さがし当てた時には、鬼のような男のために汚され、殺されていた。眼の不自由な女房には、語るにしのびなかっただろう。左吉自身も、娘が死んだとは思いたくもなかったろう。

女房の手前、青竹を売り、娘をさがすという体裁をつくろいながら、みつかるあてのない我が子をたずね歩いていた左吉の気持は、到底、言葉にあらわすことの出来ない、悲痛なものだったに違いない。

四

しかし、そのことと辻斬りと、どう結びつくのか。

「おすずという娘を殺した下手人は、挙がったのか」

東吾に訊かれて、七五郎がかぶりをふった。

「わかりゃしません。どこの町にも、そういう奴は一人や二人、いるもんです。普通は一人前の顔をして、かみさんや子供と当り前に暮している奴が、なにかのはずみでそんな馬鹿をするそうです。俺達には、どうもよくわかりませんがね」

七五郎を連れて、長屋へ戻って来たが、やはり左吉は帰っていない。

七五郎には、ざっと事情を話し、源三郎は連絡のため八丁堀へひき返すことになった。

「俺はかわせみへ行ってみる。左吉の女房がどんな具合か知りたいからな」

源三郎と別れて、東吾は大川端へ戻った。

虫が知らせるというのだろうか、無意識に足が早くなる。

左吉がもし辻斬りの犯人だったとして、なぜ、今日の夕方、女房を斬ったのかと思う。

我が子の死を、ひたかくしにしていたのは、左吉の女房に対するいたわりの心ではなかったのか。

家主の話でも、仲のよい夫婦ときいた。それほどの女房を、どうして左吉が斬ろうとしたのか。

しかも、その深傷《ふかで》を負った左吉の女房は、今、「かわせみ」にいる筈である。

不吉な予感がした。東吾は遂に走った。

大川に沿って、「かわせみ」の屋根がみえてくる。

表へまわるのが面倒で、川にむいている庭のほうの裏口から入った。

「るい……」

声をかけながら、庭づたいに、るいの居間の外へ出る。

「るいっ……」

二度呼んだ時、返事のかわりに居間の障子に人が体当りをした。

障子と一緒に庭へころがり出たのが、「かわせみ」の若い女中で、そのおかげで居間の中が外から丸みえになる。

部屋に行燈《あんどん》が一つ、そして、外は月夜であった。

中央に男が立っていた。手に一間足らずの青竹を持っている。

すみにはるいをかばうようにしてお吉と嘉助が立っていた。

男が叫んだ。

「出せ……おすずを出せ、おきよを出せッ」

東吾は男をみつめたまま、大刀を抜いた。

「左吉か……」

答えず、男の手が青竹にかかる。

「嘉助、近づくな……三人とも下れ、下れッ」

東吾はどなった。どなりながら、縁に近づく。

「ぎゃあっ」

男の手の中で、青竹が縦に割れたようにみえた。その時はもう青竹の中にかくされた刀が抜きはなたれている。

嘉助がるいとお吉を両脇にかかえるようにして、大きく反転した。

左吉の白刃が追う瞬間、とび込んだ東吾の太刀が強引に、はね上げる。

鉄のぶつかり合う音がして、左吉が庭へおどり出た。

東吾も間髪を入れず、庭へとぶ。

無言で左吉の手から太刀がひらめいた。無法ともいえるふり下し方である。

これは、狂気の太刀であった。

東吾は二度、避けた。相手を斬りたくない気持がどこかにあったが、その余裕がないのも事実だった。

一介の研師が、どこで、こういう必殺業を身につけたのか、すでに十何人の命を絶っているだけに、左吉の剣には凄まじい殺気がある。

気がついてみると、東吾は堤に立っていた。

背後は大川である。

「かわせみ」のほうからみている、るいもお吉も、東吾が殺られると思ったのは、この一瞬だったらしい。

「すずっ」

絶叫と同時に左吉がぶつかって来たのを、東吾は身を沈めて、大きく片手で宙を払った。

九段にある練兵館の道場で、

「神林の身は日本一、軽い」

と折り紙つきの東吾の早業であった。

月光の中で、東吾がはね上げた左吉の剣が流星のようにとび、同時に左吉の体はまっしぐらに大川の中へ落ちて行った。

「東吾さまっ」

るいが狂気のように走って、東吾にすがりつく。

が、東吾のほうは、のんびりしていた。

「おい、嘉助、舟を出せ、あいつ、死なせちまっちゃあ、かわいそうだ」

左吉救出の小舟はいくつも出たが、夜っぴて、大川を漕ぎまわっても、左吉はみつからなかった。

八丁堀からは、泡をくって、畝源三郎がとんでくる。

そのさわぎの中で、「かわせみ」の二階に寝ていた左吉の女房のおきよが息をひきとった。

「だいぶ、心の臓がよわって居りましたので……明け方までもてば、なんとかと思って居りましたが……」

医者は手の及ばない急変だと弁解した。

その夜があけても、左吉は発見されなかった。

黒門町の家にも帰って来ない。

「海に流されちまったんでしょうか」

自分も殺されかかっていたのに、るいは東吾から事情をきくと、左吉を不愍《ふびん》がった。

「気も変になるでしょうよ、そんなふうにして自分の子が殺されたら……」

江戸中を恐怖におとし込んだ辻斬りの女房とわかっては、通夜も葬式もあったものではないが、そこは町方にも情があって、左吉の行方がわからないのを幸い、事件を伏せたまま、「かわせみ」から葬いを出す許しが出た。

左吉が湯島天神の別当寺、喜見院の境内にある迷子石の前で、咽喉を突いて死んでいたのが発見されたのは、「かわせみ」からおきよの野辺送りがすんだ翌日の朝であった。

「どうして、辻斬りなんかしたんでしょう。やっぱり、気が狂ったんでしょうかねえ」

すべてが終って、おだやかな秋の日が「かわせみ」に戻った夜、るいが、しみじみといった。

「左吉というのは、気のやさしい男だったらしいな」

研師としては、ずばぬけた腕を持っている。

親の代からの研師で、若い時は剣の切れ味をためすために、居合抜きの稽古をしたり、巻藁や竹のためし斬りの腕も磨いた。

「まじめな、律義な人間だったんだ。いい研ぎの腕を持ち、その仕事を完全にするためにためし斬りの技も知ったが、まさか、人を斬ろうとは夢にも思わなかっただろう」

思いがけない娘の災難が、彼の神経を病ませた。

「いっそ、女房に打ちあけて、一緒に泣いたり、わめいたり出来りゃ、まだよかったんだ。何事も自分一人の胸の中のおさめて、辛抱する……人間、背負い切れない重荷をしょわされれば、狂気にもなる……」

正直な男のやり場のない怒りが、狂気となった時、あてのない辻斬りが起ったのかも知れないと東吾はいった。

「じゃ、おかみさんを斬ったのも、気が狂って、わけがわからなくなったからですか」

「あれは、そうじゃあるまい……」

女房は次第に気がつき出したのではないかと、東吾は考えていた。

どうかくしても、夫の狂気は女房にはわかる。

「女房も死ぬ気だったのかも知れない」

青竹売りに出た夫について行って、おきよが左吉を問いただしたのではなかったか。

大川端の夕暮れに、女房から責められて夢中で刀は抜いても、

「あいつは一太刀で人を殺せる男なんだ。それが、女房は殺せなかった」

左吉の内部には狂気と正気がないまぜになっていたのだろうと東吾は思う。

「怖いですねえ……狂って人を殺すなんて……」

夜の膳を運んで来たお吉がいったが、東吾は別のことを考えていた。

やはり、左吉の辻斬りのきっかけは、金が欲しかったのかも知れないと思う。

死んだ我が子の供養をし、墓を建て、永代供養の金まで寺に納めていた。

研師の暮しは、決してらくではない。泰平に馴れて、家重代の太刀をさびっぱなしにしている侍が珍しくなった御時世である。

腕のいい研師よりも、安くて手軽な研師のほうが、むしろ便利重宝されている。

左吉のような性格の男に、余分な金を貯める才能があるわけはなかった。

殺された子の怒りのために、殺戮《さつりく》の刃をふるい、そうして得た金で、我が子の供養をする。

人間の悲しさというか、虚《むな》しさというのか、世の中で生きることの切なさが強く心にしみるようであった。

「あんまり、ありがたくない事件に巻きこまれないように気をつけたほうがいいな」

どうしても、しんみりしてしまうるいを眺めて、東吾は苦笑した。

「源さんがいってたよ。るいが心配して、子供が産めなくなるとまずいってさ」

「畝さまもお年ですね。だんだん、いけ好かないことをおっしゃるようになって……」

るいがやりかえした。

火鉢にかけた土鍋が、いいように煮えて来て、あたたかそうな匂いが部屋の中に満ちていた。

「おい、今夜、お酉さまじゃないか。あとでちょっと行ってみよう」

もう辻斬りも出まいからといいかけて東吾は語尾をのみ、盃をるいのほうへ差し出した。

珍しく、風のない夜が更けている。

幼《おさな》なじみ

一

もう半月ばかりで正月が来るというのに、朝から珍しくあたたかな日で、るいは陽のよく当る縁近くにすわって、昨夜、やっと縫い上った男物の結城紬《ゆうきつむぎ》にしつけをかけていた。

群青《ぐんじょう》を溶かしたようないい色の紬は、無論、東吾の初春仕度で、その色に合せて羽織も袴もすでに仕上っている。

恋人の晴着に針を運んでいる時のるいは、いくらか上気して、幸せな新妻の気持になっていた。

木鋏《きばさみ》の音が、表のほうから聞えている。

「お嬢さん」

障子があいて、女中頭のお吉が顔を出した。

「ぼつぼつ、清さん、お茶にしますけど、いつかのお話、清さんになさるんじゃありませんか」

るいは、夢からさめたような顔で、針の手を止めた。

「いつかの話……」

「いやですよ、又、東吾様のことで、胸が一杯なんでしょう」

るいの膝の上の結城紬を眺めて、お吉が可笑《おか》しそうに笑う。

「いけませんよ、大事なことをお忘れになっちゃ……植甚さんにお頼まれになったじゃありませんか、清さんとお糸さんのこと……」

「ああ、あのこと……」

るいは苦笑して、針箱をひきよせた。

小梅村から来る植木屋で植甚というのが「かわせみ」の出入りで、四季折々の庭木の手入れから、垣根の修理、正月の門松まで一切合財をまかせている。主人の甚兵衛はもう五十をすぎていて、今では一人娘のお糸に首ったけな好々爺《こうこうや》だが、若い時分は、捕物が好きで、八丁堀のお手先をつとめたこともある男だった。

「かわせみ」とのつき合いは、無論、るいが八丁堀の役人の娘だった時分からのもので、お吉や番頭の嘉助とも、その頃からのなじみであった。

「植甚さんも、すっかり親馬鹿ちゃんりんの爺さんになっちゃって……」

とお吉などが冷やかし半分、むしろ、その穏やかな後半生を喜んでいるような植木屋甚兵衛が、来年十八になる娘のお糸を連れて、つい、先だって、「かわせみ」へ寄った時、るいにとんだ頼みごとをして行った。

「清さん、来てるの」

「ええ、朝っから……」

「じゃ、呼んでおくれな、ここでお茶をあげるから……」

お吉は心得て奥へ行き、るいはざっと縫い物を片よせて、長火鉢の鉄瓶を取った。力仕事をするのだから、なまじっか甘いものよりもと、お吉が気をきかせて、たっぷり中身の入った鍋やきうどんを運んでくるのと、清太郎が手を洗って、縁側に顔を出したのが、まことにいい具合で、

「さあ清さん、おかけなさいな。かまわないんですよ。うちのお嬢さんが、ちょっと清さんにおききになりたいことがあるそうで……」

お吉がいつもの調子で、お先っ走る。

「お吉、そんなふうにいったら、清さん、お茶も飲めやしないじゃないか」

るいがたしなめて、清太郎へ微笑した。

「かまわないから、箸をおとりなさいな、食べながら、きいてくれりゃいいんですよ」

自分も湯呑をとって、お茶を注ぎ、るいは清太郎が腹ごしらえをする間、わざとなんでもない世間話で時を稼いだ。いくらなんでも、うどんを食べながら、相手が聞ける話

ではない。

清太郎もそんなるいの胸の内がわかっていて、そそくさと熱いうどんをすり上げて落ちつかない。
二十五、六だろうか、しっかりした顔立ちで、商売柄、色は黒いが、男前は決して悪くない。生まれが葛飾《かつしか》の在で、それだけに野暮ったさがないではないが、変に江戸の町ずれしたきざな若者にはない、素朴ないい雰囲気が好ましかった。人柄も実直で、庭木の手入れに来ても、薪を割って行ったり、水くみを手伝ったり、こまめで、よく気がついて、「かわせみ」のみんなに評判がいい。
甚兵衛が娘の聟にと白羽の矢を立てるのも当然だと、るいは清太郎を眺めていた。

「お嬢さん、お話って、なんでございましょうか」

うどんの箸をおいて、清太郎はちょっと居ずまいを直した。

「そう改まっちゃ、話しにくいんだけど、浅草の井筒屋で働いているおていさんって人は、清さんの幼なじみですってね」

清太郎が視線を伏せた。

「へい……」

「同じ葛飾から江戸へ出て来てるそうだけど」

「左様でございます」

「約束でもしてるんですか」

「約束……」

「ええ、いいかわしてるってこと……末は夫婦になろうって……」

なんでもなくいいながら、やはり、るいは赤くなっていた。清太郎もみるみる中に、まっ赤になる。

「いえ……別に……そういうことはねえです」

「夫婦約束はしていないの」

「口に出しては、いったことはありません」

「でも、お腹の中では、そのつもりなんでしょう……」

いいえ、ね、と、るいは手のやり場に困って、縫いかけの針をそっと取り上げた。

「植甚さんから、こないだ、頼まれたのよ、清さんも年だから、ぼつぼつ、お嫁さんのことも考えてやりたいが、もし、いいかわしたひとでもいるのなら、あたしの口からきいて欲しいって……」

わざとお糸のことは口にしなかった。

「おていさんって人と約束があるのなら、添えるように力になってやってもいいし、もし、そうでないのなら、外にも、縁談がないわけじゃないから……」

どうなの、そこんところきかせてくれませんか、とるいにいわれて、清太郎はいよいよ、深くうなだれた。

「申しわけありません、お心づかいを頂いてまことにありがとうは存じますが、おていさんとのことは、もう暫く、待って頂けませんか」

今は、なんとも返事が出来ないと清太郎はいった。

「別に、口に出して約束をしているわけじゃありませんが、あいつも俺も、親なしで一緒に葛西を出て来ました。子供の時から知っていて……おっしゃるように幼なじみでございます」

広い江戸で、なにかの時には力になろう、頼りにしようと約束して、年に一、二度は逢っている。

「飯を一緒に食って、話をして別れるだけでございます」

「好きなの、おていさんが……」

訊かれて、清太郎が苦しそうな表情になった。

「どうか、御勘弁願います」

近く、おていと逢うと清太郎がいった。

「相談に乗ってくれといって来ているのです。そいつを訊いた上で……御返事をさして下さい」

重苦しい表情で、清太郎は逃げるように腰を上げた。

「清さんは、きっとお糸さんが好きになっちまってるんですよ」

いつものことで、ちゃんと隣で話をきいていたらしいお吉がしたり顔でいった。

「そりゃ、お糸ちゃんったら、いじらしいほど清さんに尽すんですよ。男だったら気持が動かないわけはありませんよ、困ってるんじゃありませんか、お糸ちゃんと幼なじみのおていさんの間に立って」

二つの恋を器用にさばける男ではなさそうである。

「色男はつらいですね」

お吉は無責任に笑っていたが、るいはどうも、そんな単純なものではないような気がした。

どちらかというと、いつも明るく、さわやかな感じの清太郎が、あんな苦渋に満ちた表情をみせるのは、只事ではないように思える。

といって、清太郎の口から、あれ以上のことを訊き出せそうにもないし、植甚は、報告を待ちかねているだろうし、正直の話、るいは当惑した。いくらなんでも、今日の清太郎の返事をいってやるのは、子供の使いのようなものである。

(今夜あたり、東吾さまがみえるかも知れない……)

困った時の神だのみではないが、そんなことにかこつけて、るいの女心は恋人の訪れを心待ちにする。

恋をする者の以心伝心というのか、夜になって、東吾は、やっぱり、「かわせみ」へやって来た。

「客が少いらしいな、大丈夫か」

いきなり、るいの部屋へ来るのは、いささか照れくさいらしく、帳場で嘉助と話をしていて、漸く、奥へ通ったかと思うと、そんなことをいう。

「いつも、暮はそうなんです。ちゃんと年は越せますから、お案じなく……」

姉さん女房らしく、背後へまわって着がえをさせながら、るいは少し、つんとした。

嘉助とそんなくだらない話をしているくらいなら、五日も顔をみせなかったのに、どうして、まっすぐ奥へ来てくれないのかと、さんざん、じりじりしたあとだから、はしたないと思いながら、声にも動作にも怨みがましいものが出る。

「馬鹿、なにを怒ってるんだ」

相手は心得ていて、いきなり、るいの手を摑んで抱きよせた。甘く、体がのけぞって、るいは東吾にすがりつき、それで怒った顔はどこかに吹きとんだ。

二

「ねえ、どうしましょう、植甚さん……」

炬燵《こたつ》へ差しむかいならまだしも、お吉が気をきかして入ってこないのをいいことに、東吾の隣にぴったりすわって、るいは小娘のような声でいった。

無論、昼間の清太郎とのやりとりを洗いざらい、話したあげくの相談である。

「るいは、おていって女に逢ったことがあるのか」

「いいえ」

「そりゃあ、やっぱり、おていって女をみてからのことじゃないのかな」

東吾はこともなげにいう。

「あたしが逢うんですか」

「それとなく、みるんだ、みりゃあおよそどんな女か見当がつく。おていってのが気だてのよさそうな女なら、そういう幼なじみを打っちゃって、植甚の聟になろうなんて清太郎は、どうせ、ろくな奴じゃねえ。お糸ちゃんを幸せに出来るわけはねえから、とっとと諦めて、もっといい聟を捜せといってやることさ」

「そんなにうまいこと、行きますかしら」

「行かなくっても行かせるんだ、男はなにも清太郎一人じゃないだろう」

「清さんっていい人ですよ。植甚さんが見込んだだけあって……江戸へ出て来て五年になるけど、女道楽もしないし、そりゃ固くて、しっかりしてるんですって……」

「固いばかりが能じゃないさ。男なんてのは若い時分に少々、馬鹿をやっといたほうが、あとへ行っていい亭主になるものだそうだ」

「どなたかさんのようにですか」

るいに流し眼でみられて、東吾は笑った。

「冗談じゃない、俺は子供の時から、誰かさんに首根っ子を押えられっぱなしだからな」

「ひどい……いつ私が東吾様の首根っ子なんて押えましたの」

るいの声が筒抜けで、かわりのお銚子を運んで来たお吉が、足音を忍ばせて台所へ戻って行く。

夜になって、急に冷え込んで、どこかで梁《はり》のきしむ音がきこえている。

翌朝も寒さは厳しかったが、天気はよかった。

昨夜、「かわせみ」に泊り込んで、午前中一杯はお吉や女中をからかいながら、ひなたぼっこをしていた東吾が、午《ひる》近くなって着換えはじめた。浅草まで飯を食いに行こうとるいにいう。

「そんな遠出をして、どなたかにみられたら……」

るいは心配そうだったが、惚れた男はもう帳場へ出て待っている。結局、るいは着換えも早々に「かわせみ」を出た。

浅草へ出て、観音様へおまいりをして、るいにしてみれば、仲見世をのぞいて買い物でもと思っているのに、東吾はどんどん一軒の料理屋の玄関へ入って行く。

店がまえは立派だが、どこか活気のない食い物屋であった。通された部屋も悪くないが、印象が重苦しい。

酒と料理の注文をるいにまかせておいて、東吾は女中に訊いた。

「あんたが、おていさんかい」

若い女中が眼を丸くしたが、るいはもっと驚いた。夢中で東吾について来たから、この店が井筒屋だとはまるで気がつかなかったものだ。

「おていさんはあたしじゃありませんが……」

なんなら呼びましょうかと、親切に女中がいった。

「いや俺の知り合いが、この家のおていさんに岡惚れでな、一ぺん、顔をみたいと思ったんだが……あとでいい、それとなく、ここへよこしてくれないか」

東吾がるいをみたので、るいはいそいで祝儀を包み、女中に愛想をいった。

「すみません。うちの人が勝手をいいまして……」

すらすらとうちの人といってしまったことで、るいはまっ赤になっていたが、女中は礼をいって、すぐ部屋を出て行った。

「あきれた人……。なんにもいってくれないから、どきっとするじゃありませんか」

きまり悪さを、るいはそんな言い方でごま化した。

「なんだか、陰気な家ですね」

それとなく気をつけてみると、畳も古びているし、襖紙などが家の造作にふさわしくなく安っぽい。

「あんまりはやっていないんでしょうか」

さっきの女中が待つほどもなく膳を運んで来た。続いて、もう一人、酒を持って入ってくる。

「おていさん、お酌をお願いしますよ」

年かさの女中がわざとらしくいったのは、この女がおていだと、客に知らせるためであった。

東吾が盃を出し、るいはそれとなく女を眺めた。

葛西から清太郎と一緒に江戸へ出て来たという予備知識があったので、どこか野暮くさい、素朴な女を連想していたのだが、おていと呼ばれた女は、総体に垢抜けした美人であった。化粧もはやりのようにしているし、髪もやや横に張ったような今様《いまよう》のが、いくらか眼許に険のある顔によく似合った。女中にしては髪かざりも洒落たものをしているし、着物の着方も粋である。

酌だけして、おていは部屋を出て行った。

「成程、きれいな女だな」

東吾が盃を、残っていた女中に渡して、酌をしてやった。

「生まれはどこだい」

「葛西なんですよ、でも、おていさんはいやがって、かくしてますけどね」

年かさの女中は、おていにあまり好意を持っていない言い方をした。

「ここの家は、随分、いい給金をはずんでいるらしいな」

東吾がかまわず続けた。

「おていさん、なかなか上物の髪かざりをしているじゃないか」

「あの人は特別ですよ」

女中が盃を返した。

「ほう、いい男でもついているのか」

「外のことは知りませんけどね」

「というと、内の中か」

女中が思わせぶりに笑った。

「板前とでも、いい仲になってるのか」

「とんでもない。板さんになんか、洟《はな》もひっかけやしませんよ」

その時、女の声が、外から呼んだ。

「お久さん、旦那さまがお呼びですよ」

おていの声らしかった。

「ふん、自分が旦那にいいつけといてさ」

お久と呼ばれた女中が、憎々しそうに呟いて、荒っぽく部屋を出て行った。

「料理はまずいし、お代は高いし、井筒屋も井筒屋だけど、おていって人も、あんまりじゃありませんか」

大川を舟で戻りながら、るいは盛んに憤慨した。

「自分の生まれ故郷をかくしたがるなんて、いいひとのわけがありませんよ」

「江戸へ出て五年の中に、よくも、ああ変れるものだ。やっぱり、女は化物だな」

よくも悪くも、江戸の女になっているおていに東吾は感心した。

「殿方は、ああいうほうがお好きなんですか」

「井筒屋の主人は好きらしいな。ひょっとすると、井筒屋の主人好みでああなったのかも知れないよ」

「やっぱり、そういう仲なんでしょうか」

「間違いはあるまい。仲間があぁ悪くいうんだ。当人の心がけもよくないんだろうが、岡焼きもあるさ」

「清太郎さん、知ってるんでしょうか」

「おそらく、知ってるだろう」

あれだけの女の変貌が、男にわからないわけはあるまいと東吾がいった。

「だったら、お糸ちゃんとのこと、かまわないじゃありませんか。それとも、あんな女に未練でもあるのかしら」

「さあ、そいつは清太郎の胸の内さ」

当人が待ってくれというのだから、待つより他に仕方はあるまいと、東吾はいった。

「じれったい話ですねえ」

「俺とお前のようなわけには行くまいよ」

そんな甘いことをいうくせに、るいを大川端へ届けると、東吾は「かわせみ」へ上らずに、まっすぐ八丁堀へ帰って行った。

一夜は泊っても、滅多なことでもなければ二夜続けてるいの部屋へ泊ることは殆どない。まだ部屋住みだし、世間体もあって、男がけじめをつけているのは、るいにもよくわかる。わかっていて、やはり、どうにも寂しいのが女心でもあった。

十二月の前半に、やや暇だった「かわせみ」の店が十五日をすぎると、再びいそがしくなった。

暮をひかえて、はかの行かない勘定取りに江戸へ出てくる客、年の内に片づけておかねばならない商用の客などで、連日、帳場も奥もてんてこまいが続いた。

小梅村から植甚の娘のお糸が血相変えて、泣き込んで来たのは、そんな最中であった。

三

「清さんが番屋へ連れて行かれたんです」

しゃくり上げながら、お糸のいう話では、今朝早く、浅草の鳥越の岡っ引で源六というのがやって来て、いきなり清太郎をしょっぴいて行ったらしい。

「清さんが、いったいなにをやったっていうんですか」

お吉も嘉助もあっけにとられて、お糸をとり囲んだ。

「なにかの間違いじゃありませんか。清さんに限って……」

「おていさんが、お店の金を持ち逃げしたそうです。昨夜おそくに……」

「おていさんが、持ち逃げ……」

これは、るいも合点が行かない。ともかく、取り乱しているお糸をなだめすかして、嘉助が八丁堀へ出かけて行った。

帰って来た時は、八丁堀の同心、畝源三郎が、お糸の父親の甚兵衛を伴って、嘉助と共にやって来た。

植甚も亦、なにがなんだかわからないままに、昔のつてを頼って、畝源三郎のところへ泣き込んで行ったらしい。

「いや、わたしも、まだ鳥越の源六に逢っていないし、事件を直接、当ってみたわけではないのですが……」

清太郎の幼なじみであるおていという女が奉公先の井筒屋から三百両という金を持ち逃げしたらしいという。

「おていという女は、江戸に身よりたよりもないので、ひょっとしたら、同郷であり、幼なじみの清太郎という男が、なにか知っているのではないかということで、おそらくは連れて行かれたものでしょう」

かかわりがないとわかれば、間もなくかえされるから、あまり心配することはないと、源三郎は説明した。

「とにかく、これから源六に逢って、様子をきいてみようと思いますから……」

「かわせみ」では、いつも八丁堀の旦那らしからぬ、静かな口のきき方をする源三郎が、植甚とお糸をつれて出て行ったあと、るいもお吉も仕事が手につかなくなった。

「畝さまはなにもご存じないから、あっさりおっしゃるけれども、そんな手軽にすむことでしょうか」

お吉が不安そうにいったのが的中したのは、夜になって、あらためて源三郎が東吾と一緒に「かわせみ」へやって来てからである。

「厄介なことになった」

出迎えたるいに、東吾がいった。

「おていがつかまったんだ」

葛西の、生まれ故郷へ立ちまわったところを、代官所の者に捕えられて、明日は江戸へ護送されてくるという。

「当人が申し立てているそうだ。清太郎にそそのかされて、金を持ち逃げしたと……」

「なんですって……」

お吉が悲鳴に近い声をあげた。

「金も、前夜、清太郎に渡したというんだそうです」

傍から、源三郎が言葉を添えた。

井筒屋の主人、仙之助というのが、実は数年前から店が左前になっていて、高利の金を借りていたらしい。この暮になって、やっと工面した三百両を、明日は自分で持って行って返すつもりで枕許の手文庫にしまって寝たところ、夜があけてみたら金もなくなっているし、女中のおていが姿を消していたという。

「傍輩のお久というのが、前夜、更けてから主人の部屋から出てくるおていをみているのだそうです」

お久が、そんな時刻に主人の寝間から出てくるおていをみても、別にあやしまなかったのは、口をにごしてはっきりとはいわないものの、どうやら、主人の仙之助とおていの間に、以前から情交関係があるのを知っていたためらしいと源三郎はいう。

ともかくも、朝になって大さわぎになり、仙之助が鳥越の源六に届け出て、それからおていの立ちまわりそうな先に手配がなされた。

「でも、可笑しいじゃありませんか。清太郎さんにそそのかされたなんて……井筒屋の主人といい仲になっているひとが、どうして清太郎さんにそそのかされて、主人のお金を持ち逃げするんですか」

るいの抗議に、源三郎がぼんのくぼをかいた。

「それが、おていの申し立てですと、主人の仙之助とはなんの関係もない。主人が身よりたよりのないおていをかばって、やさしくしてくれるのを傍輩がねたんで、根も葉もないことをいいふらしているのだと申すのです」

自分は幼なじみの清太郎と恋仲で、一日も早く、清太郎と夫婦になって所帯を持つのをたのしみにしていたが、いつまで経っても清太郎にその気ぶりもない。で、たまりかねて、将来の相談をしたら、夫婦になりたければまとまった金を持ち逃げして来いと、暗におていを示唆《しさ》したというのだ。

「冗談じゃない。そんなことをしたら、どうなるか、わからない清太郎さんじゃあるまいし、第一、お金を清さんに渡したって、お金が、清さんのところから出たんですか」

「金は出ません。しかし、悪いことに、昨夜遅く、清太郎のところへおていが訪ねて来たのを、植甚の若い衆が知っています」

清太郎は植甚の離れになっている棟に、他の植木職と住んでいる。その仲間が湯から戻ってくると、清太郎のところにおていが来ていて、逃げるように帰って行った。

「それにしたって、平仄《ひょうそく》が合いませんよ。三百両ものお金、清太郎さんがどこへかくせるっていうんです」

「るい……」

東吾が苦笑した。

「そりゃあ、お前たちは清太郎びいきだから、そういうだろうが、清太郎は植木屋だ。その気になってかくしたら、小梅あたりは田も畑も林も野っ原もあるんだ。土を掘って埋めたら、ちっとやそっとじゃみつかるまい」

捕まっても知らぬ存ぜぬで押し通し、ほとぼりがさめてから掘り出してくるという手もないわけではない、と東吾はいった。

「そんな人じゃありませんよ、清さんは……清さんを疑うより、仙之助って人を探ってみたらどうなんですか。井筒屋は左前だっていうんだし、高利の金を借りて、返せなくなって、おていって人を使って一芝居うったんじゃないんですか」

東吾と源三郎が顔を見合せた。

「流石《さすが》、鬼同心の娘だけあって、るいもきいたふうなことをいうじゃないか」

本当をいうと、東吾も源三郎も、同じ見当をつけているらしい。

「明日、おていが八丁堀へ廻されて来たら、源さんがじっくりねばってみるそうだ。ま、源さんの口説きっぷりをたのしみに待つことだな」

東吾に冷やかされて、源三郎は早々と八丁堀へひきあげて行った。

「おていさんて人、随分、ひどいじゃありませんか。いくら、井筒屋の主人が好きだからって、幼なじみの人を罪に落すなんて……」

「だから女は怖いっていうんだよ、俺も気をつけないと、或る日、三百両持ち逃げしたことにされかねないな」

「馬鹿みたい、かわせみは、まだ左前じゃございません」

るいが東吾の膝をつねって、東吾は大袈裟な声をあげた。

が、三日経っても、おていは申し立てを改めなかった。根気のよい源三郎の取調べに対しても、あくまで、金は清太郎に渡したといい張るのである。

「源さん、どうなんだ。いっそ、おていを清太郎と対決させてみたら……」

東吾が提案して、暮も押しつまった或る日、おていと清太郎を同じ場所へ並べておいて取調べが行われた。

おていは自分の前へ連れて来られた清太郎をみても、眉《まゆ》も動かさなかった。

「何度、お訊ね下さっても、同じことでございます。この人が、あたしをそそのかしたんです。あたしは井筒屋の主人の枕許の手文庫から三百両を盗んで、その足でこの人のところへ行き、金を渡しました。この人が当分、葛西へ帰ってかくれているようにといいましたから、いうとおりにしたのです」

おていはまたたきもせず、清太郎をみつめ、清太郎も茫然とおていをみつめた。

おていの眼の中には、明らかに激しい憎しみがあったし、逆におていをみている清太郎のほうに動揺が窺われた。

おていが牢へ戻されてから源三郎が重々しく、清太郎にいった。

「どうなのだ、清太郎、おていはああ申しているが、お前の言い分はあるか」

清太郎が、ふっと視線を落した。

「お手数をおかけ申し、まことに申しわけございません。たしかに、おていの申す通りでございます。金は手前が受け取りました」

埋めたのは、小梅村の植甚の畑の中だといった。

「慌てて居りまして、どの辺だったかは……」

はっきりおぼえていないという。

思いがけない結果に、東吾も源三郎も驚いたが、ともかく、人足をやとって、植甚の畑を掘り返させた。

二日がかりでくまなく掘ってみたが、金は出て来ない。清太郎を責めても、間違いなく、畑に埋めたというばかりである。

「東吾さん、いったい、どう思います」

流石に源三郎が憂鬱な調子でいった。

「どう考えても、調べてみても、おていの申し立ては偽りのようです。おていが仙之助と関係があるのは、井筒屋の奉公人が口をそろえていますし、まず、間違いはありません」

井筒屋が左前で高利の金を借り、返済に窮していたのも事実だし、

「第一、三百両という金を、どうやって仙之助が工面したのか、金の出所が曖昧なのですよ」

仙之助は、長いことかかって、店の売り上げを貯《た》めたというのだが、

「商売は決してうまく行っていませんし、三百両もの金が、おいそれと貯まるというのが疑わしい話です」

仙之助がおていに言い含めて、借金のがれの狂言をうたせたとしか思えないのだが、それにしては、清太郎の自白が奇妙であった。

「東吾さんもごらんになったように、別に責め道具を用いて、自白を強いたわけでもなんでもありません」

もともと、清太郎は共犯の疑いが薄いということで町役人あずかりの形で、自白するまでは牢にも入っていない。

責められて、苦しさのあまり、嘘の自白をしたわけではなかった。

「源さん……」

東吾が冷えた盃を口に運んだ。八丁堀の源三郎の家であった。

主が独り者だから、「かわせみ」のようにもてなしは行き届かないが、ものを考えるには、かえって都合がいいようなところもある。

「源さんは不思議と思わなかったか」

おていと清太郎を対決させた時のことである。

「俺達の推察通りなら、清太郎はおていによって濡れ衣を着せられたわけだ。あの時、相手を憎み、怒るのは清太郎のほうじゃなかったのか」

それなのに、東吾がみる限り、憎しみと怒りがあったのはおていのほうで、むしろ、

「清太郎はおどおどしてみえた」

おていのいった通りだと、罪を認めた時の清太郎の声には、或る安らぎさえ感じられた。と東吾はいった。

「おっしゃる通りです。わたしもその辺がわかりかねます」

おていはどうして清太郎を憎んでいるのだろうかと東吾は考えていた。

もし、おていと清太郎が幼なじみの恋人同士であったとしても、裏切ったのは、おていのほうであった。

清太郎は、まだ女房をもらったりしてはいないし、植甚のお糸とも、他人の仲である。

「こいつは一ぺん、るいにきいてみなけりゃわからないかも知れないな」

一人言を呟いて、東吾は翌日「かわせみ」へ出かけて行った。

今日は照れもしないで、ずかずか、るいの部屋へ通ると、いきなり訊いた。

「るい、もし、俺に好きな女が出来たら、気がつくと思うか」

るいは、あっけにとられた。東吾は真面目な顔である。

「そりゃあ、すぐにはわからないかも知れませんけど……長い日には、きっとわかると思います」

不安そうにいうのに、追いうちをかけるように、

「もし、俺が、お前以外の女を好きになったとわかったら、どうする。但し、お前とこういう仲になる前を仮定しての話だ」

るいの唇がわなないた。

「俺に苦情をいいに来るか」

「いいえ……」

そんなことは出来ないとるいはいった。

「別に、なんの約束もして頂いたわけではございませんし……」

幼なじみというだけで、たがいに憎からず想っているのは本能的に悟っていたが、といって、東吾は一度も、娘時代のるいに嫁に来いとも、行く末、夫婦になろうともいってくれたわけではなかった。

たまたま、東吾が麻生源右衛門と共に、公用で江戸をはなれている留守に、るいの父親が急死し、るいが決心して八丁堀を出て、宿屋稼業をはじめたのも、一つには、東吾への恋が、自分の片思いと信じていたためでもあった。

東吾が自分を愛していてくれたとわかったのは、彼が長崎から帰って来て「かわせみ」を訪ねて来て、その夜、いきなり好きだともいわずに抱きしめられてからであった。

「馬鹿をいうな、俺は子供の頃から、女房にもらうなら、るいしかないときめていたんだ。どうして、お前にはわからなかったのか」

他人でなくなってから、東吾がいい、るいは、その都度、

「女は口に出していって下さらなくてはわかりません」

と幸せを怨みがましく答えて来た。

もし、東吾に抱かれる前に、東吾に好きな女がいるとわかったら、黙って耐えるより仕方がなかったと思う。片恋を片恋のまま、胸に抱いて、一生、尼のように過したか、それとも、好きでもない男に自分をまかせて、滅茶滅茶に傷ついてしまったか、自分で自分がわからないと思う。

涙ぐみそうになっているるいに気がついて東吾は笑った。

「馬鹿、俺は、ただ、女心ってものが知りたかっただけじゃないか」

「あんまり、むごいお訊ねですもの」

いった拍子に涙がこぼれて、るいは東吾の男くさい胸に抱きよせられて、ぽろぽろ泣いてしまった。

るいを泣かせた男は、そのまま八丁堀に帰り、翌日、畝源三郎と、紫の頭巾で顔を包んだ女を伴って「かわせみ」へやって来た。

「梅の間がいい、梅の間に通してくれ」

お吉が案内に立ち、戻って来て茶の用意をしているるいに低声でいった。

「おていって女ですよ、清さんが白状したので、あの人、牢から出されたんだって、畝さまがおっしゃっていました」

成程、るいが茶を運んで行くと、梅の間におていがすわっていて、源三郎が静かな声で話をしていた。

「そういうわけで、お前と対決したあと、清太郎がなにもかも白状したんだ。それで、お前のほうは牢から出されることになった。まあ、当分は葛西へ帰って、身許引受人あずかりとでもいうようなことになろうが、今夜はここに泊って、牢内の垢を落すがいい」

おていの顔がみるみる中に赤くなった。

「あの……清さんが白状したって、本当でございますか」

声がかすれて慄えている。

「そうだ、白状したよ、間違いなく金は受けとったし、金を埋めたとな」

清太郎の罪状も年内にきまると源三郎はいった。

「軽くて島送りか、悪くすると死罪だろう」

十両盗めば、首がとぶといわれている時代であった。

おていの上体が大きく揺れた。

「あの、でも、お金は、まだ、みつからないのでは……」

「金は目下、捜している。しかし、本人が白状した上は、裁きはすぐに下りるものだ」

不意におていがのけぞった。あまりの衝撃に失神しかけている。

東吾がるいに命じて、寝具の用意をさせ、おていを寝かせた。

「牢内の疲れが出たのだろう。少し、やすませるほうがいい……」

梅の間においは一人になった。

「おい、るい、みてごらん。河原で凧《たこ》をあげている奴がいるぞ」

部屋を出たところで東吾がるいの手をとった。梅の間の縁側へ連れて行く。

庭のむこうに大川へ続く河原があった。

数人の子が、正月が来るのを待ちかねたように、凧をあげている。

川の上は、けっこう風があるらしく、凧が気持よく糸をのばしていた。

「おぼえているか、俺が凧をあげた時のこと」

東吾が六つで、るいが七歳ぐらいだった幼い日、るいに凧を持たせておいて、東吾が走った。

あいにく風がないのと、東吾の年齢にしては凧が立派すぎて思うように上らない。

何度、東吾が走っても、るいが手をはなすと凧は地上へ落ちてしまった。

「俺はいつまでも同じことをくり返して、日が暮れて来てもやめなかった。お前は心細そうな顔をして、それでも何度でも俺のいう通りに重い凧を一生けんめい、拾っては持ち、背のびをして高く持ち上げ、なんとか空にとばそうと夢中になっていた」

凧と風で髪がこわれ、ころんだり、走ったりで泥だらけになりながら、夜になるまで東吾について来たるいの姿を、東吾は思い出しているようであった。

「そういえば、東吾様が、るいのために屋根から落ちたことがありましたわ」

いつか、るいも遠い思い出の中に身をおいていた。

追い羽根をついていて、羽根が屋根の上にあがってしまった。とってやるといって、東吾が屋根に梯子をかけた。羽子板の先で羽根をうまいこと、宙にとばしたが、その拍子に力が余って梯子が倒れ、小さい東吾が梯子ごと庭へ落ちた。幸い梯子がうまく絡《から》んで、たいした怪我はしなかったのだが、

「お前が、あんまり泣くので、兄上がとんで来て、それでみんなに屋根から落ちたことがわかってしまったんだ、あの頃から、るいは泣き虫だったな」

幼い日の想い出が、次から次へと、二人の口から楽しげに繰りひろげられた時、障子の中から、おていの泣き声がした。

「清さん、堪忍して……清さん」

四

おていは泣きながら、すべてを源三郎に打ちあけた。

やはり、三百両は最初からなかった金であった。仙之助に命ぜられて、おていはあり

もしない金を盗んで逃げた。

「仙之助がいったんです。金が出ない限り、清さんは罪にならないって……それに、清さんが、白状するなんて……あの人は、あたしをかばってくれたんです……」

井筒屋仙之助は直ちに番屋へ送られて、源三郎の猛烈な取調べを受けて、とうとう泥を吐いた。

仙之助はお上を偽り、人をおとしめた咎によって入牢、結局、井筒屋は潰れた。

おていは入牢十余日で釈放され、伝馬町の女牢を出たのは年があけて七草の朝であった。

霜柱をふんで、清太郎が「かわせみ」を訪れて来た時、るいはもう起きて、台所で働いていたが、東吾は昨夜から、るいの部屋の布団の中で、まだ眠っていた。

清太郎は七草をきれいに植えた竹籠を持っていた。七草の日の縁起物である。

「これから、おていを迎えに行きます」

白い息を吐きながら、清太郎が、るいにいった。

「植甚の親方には申しわけありませんが、畝の旦那がおはからい下さいました。おていと二人、知らない土地へ行って、やり直しをするつもりでございます」

いつか、二人そろって、改めて礼にくる日もあろうかと、律義に何度も頭を下げて、清太郎は靄の深い大川端を立ち去った。

「そうか、清太郎が迎えに行ったのか」

るいから七草の籠をみせられて、東吾は感慨深く呟いた。

「どうして、清さん、植甚のお糸さんを諦めたんでしょう。お吉の話では、清さんだって本心は、お糸さんが好きだったらしいのに……」

起き出した東吾の着がえを手伝いながら、るいは合点の行かない顔をした。

「清さんは人がよすぎるって、みんないってますよ、なにも井筒屋の主人といい仲になった女と……」

流石にいいさして、るいは後にまわって東吾の帯をしめた。

「おていが本当に好きだったのは、仙之助じゃないんだ」

東吾がいった。

「おていは、子供の時から清太郎が好きだったのさ」

「じゃ、どうして、仙之助なんかと……」

「清太郎が、お糸を好きになったからだろうよ」

あっと、ちいさくるいが声を立てた。

「清太郎は植甚で働くようになって、だんだん、お糸に心を奪われた。お糸も清太郎に思いをよせている。清太郎にしてみれば、おていは幼なじみというだけで、夫婦約束をしたわけでもなんでもない。そりゃ、おていを満更、嫌いではなかったろう。しかし、いつも傍にいて、なにくれとなく気を遣ってくれるお糸に好意を持った、夫婦になりたいと思うようになった時、おていのことは妹のような、友達のようなものに思えて来たんだろうよ」

清太郎の気持ちに、やがて、おていは気がついた。

夫婦約束をしていたわけではない。ただ幼なじみというだけである。おていは、清太郎に、なにもいえなかった。一人で泣くのが、おていのような女にはせい一杯のことだったろう。

「おまけに、清太郎は固い男だから、おていと逢っても、手を握るでもない。いっそ、清太郎とおていが他人でなくなっていりゃ、こうややこしいことにはならなかったのさ」

他人だから、清太郎もお糸へ心を移すことに罪の意識がなかったろうし、おていのほうは、みすみす離れて行く男心をどうしようもなかった。

「そんな時、仙之助にいいよられて、俺にはどうもそういう女心って奴がわからねえが、おていは仙之助に身をまかす気になったらしい」

体を許してしまうと、女は弱いもので、仙之助から大それた狂言を頼まれれば、ことわり切れないし、

「一つには、清太郎への怨みを、そんな形であらわしたかったのかも知れないな。俺は、おていが清太郎と対決した時、おていの眼の中に、怨みというか、憎しみというか、そりゃあ激しいものが燃えていたんで、可笑しいと気がついたんだ。本当からいえば、怨みも憎しみも清太郎にあって、おていにはない筈と思っていたからな。そこで、早速、

誰かさんに女心をきいてみた。誰かさんが涙をこぼして教えてくれたんで、やっと謎がとけたってわけだ」

おていの本心が、清太郎を愛しているとわかれば、あとは容易だったと東吾は笑った。

「今度は、俺と源さんが芝居をうつ番だからな」

「あたしに想い出話をなさったのも、お芝居だったんですね」

「るいは正直だから助かったよ。考えてみると、千両役者はるいだったかも知れないな」

おていの女心をゆすぶって、とうとう本音を吐き出させた。

「あきれた人達……あたしは本気で昔のことが、なつかしかったのに……」

ふり上げた袂《たもと》を、東吾がひょいと押えた。

「おい、いい風が出ているぞ、何十年ぶりで、凧あげをしてみるか」

床の間に、東吾が暮に持って来た大凧が、正月らしく飾ってある。

「ひょっとすると、清太郎とおていにも、俺達のあげる凧がみえるかも知れないぞ」

障子の外を、風がうなっていた。

隣の部屋へ、お吉が火を持って来たらしい。ぱちぱちと炭のはねる音が、寄り添っている二人に、初春の匂いを運んで来た。

清太郎は、やはり、おていの本心がわかっていたのかも知れないと、るいは考えていた。

わかっていたから、お糸を諦めて、幼なじみのところへ帰る決心をした。

「やっぱり、いい人だったんですよ、清さんって人は……」

おていの幸せが、わがことのように嬉しくて、るいは、東吾の胸の中で、うっとりと眼を閉じた。

宵節句《よいぜっく》

一

ぼつぼつ、雛《ひな》飾りをしなければと考えて、倉から取り出して来た緋毛氈を、庭の四つ目垣の上に広げて陽にあてていると、裏口から庭伝いに廻って来た女中頭のお吉が、

「お嬢さん、番頭さん帰って来ましたよ」

手に塩壺を持ったまま、知らせて来た。

お吉は漬物を作る名人で、秋からこっち干大根だ、青菜だと、せっせと漬けては、それが又、泊り客に大層、評判がいいのが自慢で、今日は、春の菜を漬け込んでいるらしい。

嘉助は、るいが庭にいるときいたらしく、これも裏口から、帰って来たままの姿で挨拶に来た。

嘉助の娘のお民というのが、神田飯田町の木綿問屋、吉兵衛というのに嫁いでいる。そこに三人目が生まれたので、るいが祝いものを届けるというのに、

「お嬢さま御自身でお出かけ下さるまでもございません。そんなことをして頂いては罰が当ります」

第一、娘も産褥《さんじょく》にいて、なんのおもてなしも出来ないからと嘉助が恐縮するので、とりあえず、祝いものだけ、嘉助にことづけたのだが、律義な嘉助は、早立ちの泊り客を送り出すと、その足で娘のところへ出かけ、午前《ひる》には、もう「かわせみ」へ帰って来た。

「どうでした、男の赤ちゃんだから、吉兵衛さんも、さぞかし、喜んでおいででしょう」

お民のところは上二人が女の子で、三人目のはじめての跡取り誕生である。

「へい、そりゃあもう。吉兵衛もお民の奴もくれぐれもお嬢さまにお礼を申し上げてくれと……」

起きられるようになったら、夫婦そろって挨拶に来るという。

「そんなに気を遣わないで下さいな。嘉助だって、もっとのんびり孫の顔をみてくればよかったのに……」

「ええ、ですが、まだ梅干みてえな顔をしてやがって、面白くも可愛くもありませんや」

そんなことをいう口の下から、男の子だけあって乳の飲み方が豪快だの、目方がどれ

ほどあるのと、嘉助の顔はほころびっぱなしであった。

「当分は、お民さんが小さい赤ちゃんにかかり切りになろうから、上の子たちは寂しかろう。かまわないから、うちへ連れて来て、春永になるまであずかってあげたら……」

上のお三代というのは、もう七つになるが、始終、嘉助について来て、「かわせみ」にも泊って行く。下のおせんも、るいになついていて、この正月にも姉妹一緒に三日ほど泊って行った。

「ありがとう存じますが、結構、お三代の奴が姉さんぶって、下の世話をしていますし、まあなんとかやっているようでございますから……」

そのお三代が、この正月から近くへ手習に通いはじめたという。

「実は、そのことで、ちょっとお嬢さんにお知らせ申しておこうと存じまして……」

縁側に腰を下して、るいの入れた茶を押し頂いて飲みながら、嘉助は遠くをみるような眼ざしをした。

たまたま、今朝も嘉助が飯田町へ行っている時、お三代が手習に行くというので、そこは孫可愛さに、挨拶旁々、ついて行った。

「近所の菓子屋の離れを借りていなさる女のお師匠さんで、手習の他に琴も教えているとききましてね、お三代の奴を送って、玄関先で、お目にかかりました」

逢ったとたんにどこかで見たようなと思い、すぐ想い出した。

「お嬢さんが八丁堀のお屋敷においでなさった時分でございます。旦那様がお元気な頃で、今からもう十年も、もっと昔になりましょうか」

まだ少女だったるいが、下谷の高柳春芳という琴の名手のところへ稽古に通っていたことがあった。

「よく、お供をして下谷まで参りました。あの頃のお友達で、五井様のお嬢さまをおぼえておいででしょうか」

「和世さんでしょう、忘れるものですか」

西丸御書院番の娘であったが、両親がすでになく、兄と二人、叔父の家に寄宿していた。

年は、るいより一つ上だが気のやさしい、どこか心細いところのある娘で、るいがなにかにつけて、かばったり、力になったりすることが多かった。琴の才能は抜群で、師匠から目をかけられていたし、期待されていた。

その五井和世が、神田飯田町で子供相手の手習や琴の師匠になっているという。

「大変、なつかしがっておいででございました」

もっとも、口の固い嘉助は、るいが今は大川端で「かわせみ」という宿の女の主人になっていることは、和世に話さず帰って来たらしい。

「五井様とおっしゃると、たしかお兄様が御浪人なさったんじゃございませんでしたか」

お吉も覚えていた。

「てっきり、江戸にはおいでなさらないと思いましたが……」

その当時のるいは、まだ子供でくわしい事情は知らなかったが、なんでも、和世の兄の兵馬が成人するまで、五井の家をあずかっていた叔父というのが、結局、家を乗取ったようになり、そのいざこざの果に五井家が潰れてしまって、まだ若い兄妹が夜逃げ同様に江戸から姿を消したように聞いている。

近い中、和世に逢いに行こうと、るいは考えていた。るいにしても武士の家を出て、町家の女になっている。落魄《らくはく》した和世に逢っても、相手が劣等感を持つ怖れはないと思えた。

その日の午後は雑用が重なって、るいは、とうとう雛を出しそびれた。

夕方から宵の内は、宿屋稼業の一番忙しい時刻で、るいが居間へ落ちついたのは、五ツ（午後八時）を過ぎてからであった。

炬燵へすわる前に、簞笥のひき出しから小箱を取り出した。琴爪が入っている。久しく出すこともなかったそれを、炬燵の上で弄《もてあそ》んでいると、廊下に男の声がする。

あっと思った時には、もう東吾が部屋に入って来て、

「源さんが一緒なんだ、なにか熱いものを食わしてくれ」

さっさと腰の大小を、るいにあずける。続いて、お吉が畝源三郎を案内して来た。

「畝さまは、今夜も夜廻りをなさるそうでございますよ」

あたふたと台所へとんで行ったのは、酒の仕度のためらしい。

暮からこっち、江戸を荒し廻っている盗賊の噂は、るいも知っている。
五、六人から、多い時は七、八人で襲って来て、ねらった家ではあり金残らずさらって行ったあげく、手むかいをしなくとも、家人は女子供に至るまで殺害して去るという。
その一団が盗みを働くのは、月に一度か二度、忘れた頃に江戸の金持の家が襲われて皆殺しにされた。

無論、町方は躍起になって探索しているが、手がかりは殆どない。一つには、襲われた家の者が全員、殺されるために、賊の人相、人数などがまるで掴めないことも、捜査を困難にしていた。

「なにしろ、賊が引揚げても、朝になるまで近隣の家が全く気づかずにいるというんだ。よっぽど、賊に頭数が揃っていて、手ぎわよく押し込むのだろうが……」

今まで、被害に遭った家で、一人の奉公人も逃げ出して助けを呼ぶ暇がなかったというのはよくせきのことである。

「殊に、今の季節はいけません」

お吉が手早く用意した、餅の入った粥《かゆ》をうまそうにすすり上げながら、源三郎がいった。

寒い時期は、商家は早く大戸を下すし、雨戸をしめ切ってしまうから、一層、家の中のさわぎが外に洩れにくい。

賊も心得ていて、一年の中、この仲間の動きが激しくなるのは、きまって冬の間であった。

夏の間は、なにをしているのか、鳴りをひそめている。

「なんとか、この冬中に埒《らち》をあけねば……火付盗賊改も動き出して居りますし、そっちへ先手をとられては町方の面目が丸潰れになります」

源三郎はそそくさと飯を食い、東吾を残して帰って行った。

「町方だろうと、火付盗賊改であろうと、賊さえ捕えりゃあ、江戸の人間は枕を高くして眠れるんだ。なにも、面目のへったくれのと四角ばることはありゃあしねえ」

そんな悪態をつくせに、このところ、源三郎に加担して、夜廻りをつき合っていたらしい東吾は、酒もいつもの半分も飲まない中に、横になって鼾《いびき》をかきはじめた。

翌朝、せめて朝風呂に入れてくつろいでもらおうと、るいがはやばやと仕度をしていたのに、源三郎からの使いがとんで来て、東吾は顔も洗わずに鉄砲玉のようにとび出して行ってしまった。

「町方の夜廻りが二人ほど斬られたそうでございます」

出かけて行った嘉助が帰って来ての話では、襲われたのは、本石町の伊勢屋で、例によって皆殺しなので、くわしいことはわからないが、盗られた金はおよそ八百両、おまけに盗みを働いて引揚げる途中を誰何《すいか》したのだろうか、伊勢屋からあまり遠くない橋の袂で、町方のお手先二人、折重なるようにして斬殺されていた。

どっちも発見されたのは朝になってからで、無論、盗賊はすでに影も形もない。

「なんてことでしょうね、これじゃ東吾様、当分かわせみへお出で下さる暇もありませんよ」

お吉が、るいの胸の中を代弁して、一人で嘆息をついた。

二

るいが、神田飯田町を訪ねたのは、二日ほど後で、間もなく三月というのに、町は風が冷たかった。

先に、嘉助の孫の顔をみに、立寄って祝いをいい、供について来たお吉は先に帰って、るいは一人で近くの菓子屋の離れにいるという五井和世を訪ねて行った。

ちょうど稽古日ではなかったのか、和世は一人で琴の稽古をしていたが、るいの顔をみるなり、もう涙ぐんで、しばらくはみつめ合ったまま、挨拶の言葉もない。

るいが、今の身の上を話すと、和世は眼を丸くした。八丁堀に昔のままでいるとばっかり思っていたという。

「すっかり、世間を狭くしてしまいまして」

昔の知人とは、もう何年も逢わずじまいだという。

「おるいさまもご存じでしょうが、なにしろ兄が、あの性分でございましょう」

浪人して、江戸を出てから下総のしるべをたよって行ったが、そこにも長居は出来ず、諸方を転々として、結局、三年前に江戸へ戻って来たらしい。

「あの、おるいさまは、神林東吾様をご存じでございましたね」

思いがけず、恋人の名をいわれて、るいはうろたえ、赤くなった。

「兄が、叔父と争いを起しました時も、神林様のお兄様がいろいろお口添えを下さって、折角、兄に有利なようにおはからい下さいましたのに、その矢先、兄は叔父と口論のあげく、刀を抜いてしまって……」

殺しはしなかったが、かなりな重傷を与えてしまったことで、家の相続の争いが表へ出て、それが五井家を潰す破目になった。

「兄には、そういうところがございますの。人柄は悪くはないのですが、かたくななところがございまして……」

どこへ行っても人と争いを起したと和世は話した。

「御苦労なさいましたのね」

少女の頃、ふっくらと豊かな頰をしていた娘が、瘦せて、年より老けてみえる。

「それで、兵馬様は、今……」

「はい、それが……」

いいよどんで、和世はかくすまでもあるまいと思ったのか、少し、恥かしそうに打ちあけた。

「なにがきっかけで知り合ったのかは存じませんが、小梅のほうの瓦屋の御主人が、大層、兄に肩入れをして下さいまして……」

ぶらぶらしているなら、家には商売柄、若い連中が大勢いて、血の気の多い年頃だから、時には手がつけられないような大喧嘩もする、用心棒といっては言葉が悪いが、

「若い者の目付をしてくれないかとおっしゃって兄はそちらの御厄介になって居ります」

かなり、よくしてもらっているらしく、時折は金を持って和世に逢いに来てくれるし、落着いたようにみえるのが、なによりも嬉しいと、和世は涙ぐんだ。

るいは、和世の兄の兵馬というのに、何度も逢ったことはなかったが、そういえば、どこか、とっつきにくいような、怖い顔をした男だったように思う。

「おるいさまは、お独りでございますか」

突然、和世が訊く。うなずきながら、るいは又してもまっ赤になった。

「和世さまも……」

「こんなおばあさん、誰も相手にしてくれる人はございません」

寂しそうに笑っている。

和世と別れて帰りながら、るいはその時の和世の言葉にこだわっていた。

自分より一つ年上の和世が嫁ぎ遅れなら、自分も時期を逸したおばあさんということになる。自分には東吾という男があると思いながら、やっぱり、るいはつらい顔をして歩いていた。

中一日ほどして、今度は和世が大川端へ訪ねて来た。

二度目の対面なので、すっかり打ちとけて、珍しそうに、宿屋稼業を眺めたりしている。兄の兵馬から、髪の飾りでも買えといわれて、金をもらったので、これから浅草まで行こうと思うが、一緒に行ってくれないかと、昔のように甘えたりした。

で、るいもその気になって和世と二人、浅草へ出た。

和世の櫛やかんざしを見立ててやるついでに、自分のだの、お吉のだの、こまごました買い物をして、るいもいつか子供の時に戻って、楽しい気分になっていた。

仲見世を出たところで、和世が、ふと足を止める。

「兄上さま……」

呼ばれて、たまたま、向い側を歩いて来た侍が足を止めた。如何にも商家の旦那風の男と二人連れである。それが、和世の兄の五井兵馬と、彼が厄介になっている丸八という瓦屋の主人であった。

「兄上さま、おるいさまですよ」

和世はいそいそとるいを兄に教え、兵馬は絶句して、るいを眺めた。

「兵馬さん、こちらが妹さんですかな」

丸八の旦那がいい、兵馬が気がついたように和世を紹介した。その様子をみると、和世は丸八の旦那に、はじめて逢ったらしい。

やがて男二人は観音堂のほうへ去り、るいは途中で神田へ帰る和世と別れて、「かわせみ」へ帰って来た。

浅草へ出かけた時に、なんとなく、そんな気がしたのだが、帰ってみると思った通り東吾が来ていて、今、湯から上って、お吉の酌で一杯飲みはじめたところだという。

「だから、あたし、浅草へ行くの、いやだったんです」

たまに来た男の背中も自分の手で流したかったし、着換えも人まかせにしたくなかったと、るいは内心、お吉にまでやきもちを焼きたくなる。

「五井の妹に逢ったそうじゃないか」

東吾は屈託のない顔で訊く。

「ご存じですの」

「兵馬とは、岡田道場の同門だからな」

当時、岡田道場は名人といわれた岡田十松が死んで、今は練兵館の主である斎藤弥九郎が師範代をつとめていた。

東吾も畝源三郎も五井兵馬も、その岡田道場の同門だという。

「あの頃、五井の妹には、みんな気があったんじゃないか、美人で頼りなさそうなところが、妙に男心を惹くという奴でね」

「和世さまにお気があったから、兵馬様に肩入れして、御家督のことに骨を折られたのですか」

はしたないと思いながら、つい、るいはひっかかった。

「なに、あれは和世さんに泣いて頼まれたから、兄上に相談しただけだ」

「知りませんでした。和世さまと、そのような仲でいらっしたなんて……」

「馬鹿いえ、逢ったのはあとにも先にもそれが一度だ。もっとも涙ながらに取りすがられた時は悪い気持じゃなかったが……」

東吾の膝をつねりに行ったるいの手が、逆に摑まれた。

「お吉が来ないか、みて来いよ」

耳許に東吾が笑いながらささやいた。

「俺はるいに飢えてるんだ。この前、うっかりうたたねしてしくじったからな」

「馬鹿みたい」

体中が不意に熱くなって、るいはもう怒り切れない。

甘い痴話喧嘩の続いている居間に、お吉も嘉助も心得ていて、近づく道理はなかった。

ひと晩中、るいに嫉かれながら、寝物語に五井和世のことを根掘り葉掘り訊いていた東吾は夜があけると、嘉助を近くの自身番に走らせた。

「源さんが寄ったら、かわせみへ来るようにいってくれ」

その畝源三郎は午近くに、「かわせみ」へやって来た。

お吉が大自慢で皿に盛り上げた春菜の漬物で茶漬を食べ、すぐ二人揃って「かわせみ」を出て行った。

「なにも定廻りの旦那じゃあるまいし、東吾さまも、少しはゆっくりなさればいいのに」

毎度のことながら、お吉が苦情をいったが、るいのほうは昨夜、思う存分、東吾に抱かれて、花の咲いたような顔をして見送っている。

三

「昨夜、又、出ました」

「かわせみ」を出ると源三郎がすぐいった。

浅草の鳥越神社の近くで、万石屋という酒問屋だという。

東吾の眉《まゆ》が上った。

「手代が一人、逃げ出そうとしたらしく店の土間で殺《や》られていたのが、例の突きです」

「死体は……」

「おみせしたいと思って、鳥越の番屋においてあります」

二人の足が更に早くなった。

「源さん、小梅村まで行ってくれ。鳥越の番屋へ寄ったあとでいい」

「小梅……」

「丸八という瓦屋があるそうだ。そこに五井がいる……」

源三郎が声をあげた。

「どうして、それを……」

「世の中、広いようで狭い。るいが、五井の妹に逢ったんだ」

歩きながら、東吾は昨夜、るいにつねられながら聞き出した一部始終を源三郎に話した。

話している東吾の声も重苦しいし、きいている源三郎の顔も次第に暗くなる。

「五井は、やはり江戸に居たのですか」

吐息のように、源三郎が呟いた時、鳥越の番屋がみえた。

万石屋の手代の死体は、土間のすみに菰《こも》をかぶせて、番太が気味悪そうに張り番をしている。

源三郎が菰をめくって、突き傷をみせた。逃げるところを背後から突いたらしい刀傷は胸まで突き抜けて、手代を即死させている。

「凄い突きだ」

これと同じ傷痕を、東吾も源三郎も二度みている。この前、本石町の伊勢屋が襲われた時、近くで殺害されたお手先が、どちらも同じ一突きで命を失っていた。

「源さん……」

二人の男が顔を見合せた。二人の瞼の中に十年前の岡田道場が浮んでいた。当時、その道場で、突きの兵馬といわれた男の顔である。

「よもや、と思いますが……」

小梅村へ向って舟を出しながら、源三郎は何度もいった。

「あの突きが、はじめて出たのは、この冬になってからのことです」

それまでの盗賊はまるで大根の葉を切り落すように、襲った家の人間の首を切って行った。

「過去三年にわたって、調書をみましたが、突き傷で殺された者は一人も居りませんでした。それも一突一殺の凄い突きです」

なんにしても、その盗賊の仲間に突きの名手が一人居ることは間違いない。それが、今までは殺戮《さつりく》に加わらなかったのか、それとも今年の冬から新しく仲間に入ったものか。

「実は、この前のお手先二人の死体を、斎藤先生にみて頂きました。これだけの突きの出来るのは、次男の勧次郎か、又はもう一人、とおっしゃいました」

斎藤弥九郎の次男、勧次郎は突きの名手で、鬼勧の突きに勝てる業はないとまでいわれる男だ。が、今は修業のため諸国を廻っていて江戸にはいない。仮に居たとしても、仮にも練兵館の斎藤弥九郎の次男が、夜盗の仲間に加わるわけはなかった。

「又はもう一人か……」

「斎藤先生は、その名は口になさいませんでしたが……」

言葉に出していわなかったことで、逆に東吾にも源三郎にも、容易にその男の名を思い浮べることが出来た。

「よもやと思います……まさか……」

舟から上って、少し行くと畑地に出た。

平石などという向島で名の知れた料理屋もその裏側は田であった。

ところどころにこんもりと森がみえるのは寺の境内で、その周囲も田や畑が多い。

「あれじゃ、ありませんか」

源三郎が指したのは、百姓家のような一軒であった。屋根の上に丸に八の字を描いた鬼瓦が上っている。

近づいてみると、平瓦や丸瓦を積んだ庭が広く続いていて、家の裏には瓦を焼くらしい土窯がいくつも築いてある。

垣根について廻って行くと、この寒空に若い男が素っ裸で、粘土を砕いた粉に水を入れて、鍬で練っているのがみえる。

外から眺めた限りでは、なんの変哲もない瓦屋であった。

小梅村を抜けて本所へ出た。

源三郎が先に立って、一膳飯屋の障子をあける。

「いらっしゃいまし」

帳場から威勢のいい声をあげた主人が、すぐとび出して来て、

「畝の旦那……」

この辺りを縄張りにしている岡っ引の仙助である。

「ちょっと聞きてえことがあるんだ」

店には客はなかったが、仙助はすぐに二階へ案内した。とろろ汁に麦飯を自分で運んでくる。

小梅の丸八という瓦屋について知っていることを聞かせてくれというと、仙助は眼をぱちくりさせた。

「なにか御不審でも……」

このあたりでの評判は悪くないとまずいった。

主人の徳兵衛というのが、三年程前にあそこへ来て、丸八の看板をあげた。

「以前は今戸で、やっぱり瓦屋をしていたそうですが、お内儀《かみ》さんが死に、子供が死んで、悪いこと続きなので易者にみてもらうと方角がよくないといわれて、それで小梅へ来たってきいてます」

職人も大方はその時連れて来た男達で、瓦を焼くだけでなく、瓦葺きの職人もおいているから仕事はかなりあるらしい。

「ただ、どっちかっていうと冬は暇のようです。なにしろ、寒い中は壁が凍るの、日が短くて仕事にならねえのと、とかく、家を建てるにゃ、まずい季節ですから……」

若い浪人がいないか、という問いに、仙助はうなずいた。

「へえ、なんでも、主人の徳兵衛が盛り場かなんかで酔っぱらいにからまれて往生しているのを助けたとかで、徳兵衛が恩に着て、居候をさせてるようです。滅多に顔はみませんが、昨今のような物騒な御時世だから、大方、泥棒の用心にでもと思っているんじゃありませんか」

仙助は、のんびりした調子で笑った。

当分、丸八から眼をはなすな、と源三郎は命じた。

「夜中に丸八から人が出るようなことがあったら、直ちに知らせろ。但し、なにがあっても、決して手を出してはならん」

くれぐれも仙助にいい含めて外へ出ると、美女の眉のような細い三日月が出ている。

「もうすぐ晦日だな、源さん……」

四

二月の終りの日、今日こそは雛飾りをすませようと、るいが朝から心づもりをしているところへ、和世が訪ねて来た。

昨夜遅くに、兄の兵馬がやって来て、夜があけたらすぐに、どこでもいいから宿をさがして引き移れ、と理由もいわずに命じたという。

「私が、おるいさまの宿のことを申しますと、一夜あけたら迎えに行くから、それまで御厄介になっていろと申しまして、そのまま帰りました。なにかは存じませぬが……

不気味なものを感じて、今日は幸い稽古もないので、早朝に「かわせみ」へ訪ねて来たものだ。とりあえず、あいている梅の間へ案内し、朝飯もまだだというので、女中に運ばせたが、

「なんだか、可笑しな話ですねえ」

お吉も嘉助も眉を寄せている。

も知れない。

和世のほうは、るいの顔をみて安心したのが、琴を借りたいといい、終日、梅の間で弾いていた。もっとも、琴でも弾いていなければ落着けないような心境だったのかも知れない。

和世の兄が何故、一日、神田飯田町の家から、和世に居を移せといったのか、るいには知る由もないが、なにか只事ではないような気がする。そんな気がかりで、るいはとうとう雛飾りどころではなくなってしまった。

「手前も、お吉さんも今夜は不寝番を致しますから、お嬢さんは御心配なく……」

もともと、八丁堀育ちだけに、嘉助は本能的になにかをかぎとっているらしく、そんなことをいう。

るいもなにがなしに不安で、長持の奥から亡父の形見の小太刀を取り出して、布団の下へ入れたりした。こんな夜に東吾が来てくれたらと思うのに、夜更けになっても、そんな気配はない。

るいも嘉助もお吉も、夜が明けるまでまんじりともしなかったが、その夜の「かわせみ」には何事も起らなかった。

が、「かわせみ」の外ではとんでもない事件がはじまっていた。

畝源三郎が、東吾のところへ相談に来たのは、二月晦日の夜であった。

「大変なことがわかりました」

本所の仙助の話から、丸八の徳兵衛が三年前まで今戸で瓦屋をしていたというので、念のため、今戸を洗ってみた。

間違いなく、三年前まで丸八の店は今戸にあった。

「大川沿いでございまして、背後は八つも寺が並んで居ります」

今でこそ、今戸町の商家が建ちはじめているが、三年前までは、同じような瓦屋がはなればなれにある程度で、周囲はおよそ寺ばかり、前にいった八つの寺を除いても二十軒はあるという。更にその周囲は畑や田が多く、俗にいう吉原田圃《たんぼ》まで続いている。

「寺には無住寺もありますし、どこも境内が広く、墓地のあるところも少くございません」

ということは、土地の広さの割合に住んでいる人間の数は極めて少いことになる。夜になればひっそりしてしまって、人通りは殆どなかった。そのくせ、山谷堀を渡れば浅草だし、下谷、上野へも遠くない。大川のむこうは本所、深川であった。舟を使えば足の便は決して悪くないのだ。

仮に、丸八の徳兵衛が、盗賊の首領だったとして、夜中に盗みに出ようと盗みを働いて帰って来ようと、三年前の今戸のそのあたりなら、まず人にみとがめられる怖れはなかった。

「三年前ぐらいから、家が増えはじめました、ひょっとすると徳兵衛一味はそれを嫌って、小梅村へひっ越したのかも知れません」

更に決定的と思えるのは、

「今まで、例の盗賊に襲われた商家を調べましたところ、必ず前年の夏あたりに家を改築もしくは瓦の葺き直しをして、丸八の職人を入れているか、そうでない場合は隣に新築する家があったりして、その瓦が丸八の仕事であったことです」

「もはや、間違いないな、源さん」

沈痛に東吾が答えた。

夏の間は、表向きの瓦屋で、金のある家の見当をつけ、家の様子や間取まで探ってしまう。冬になって、夜が長く、人々が雨戸を閉め、外出も少くなった頃に、本性を現わして盗賊に早変りする。

町方を手こずらせた盗賊の正体も、知れてしまえば、なんということはなかった。が、賊をここまで追いつめたのに、東吾も源三郎も勇躍という気分にどうしてもなれないのだ。

丸八の店には居候として五井兵馬がいる。岡田道場で彼と同門だった頃、兵馬の突きは剣客仲間でも評判であった。

盗賊の仲間には、突きの名手がいる。

「やはり、五井……」

いいかけて源三郎が絶句した。とりわけ仲がよかったわけではないが、いわば一つ釜の飯を食った友人には違いなかった。

二人が腕をこまねいているところへ、仙助からの知らせがきた。

丸八の裏から忍び出た人影があるという。

「親分があとを尾けて居ります。ご案内は、あっしが……」

源三郎が東吾をみた。

「どうします、東吾さん」

本来なら上役に知らせて指図を受ける捕物かも知れなかった。が、源三郎の眼には、それをしたくない思いがあった。

盗賊一味が一網打尽になった暁には、その中に、昔の友がいる。

東吾が剣を摑んで立ち上った。

「行くか、源さん」

「しかし、敵はかなり手強い相手と思えます、万が一、一人でも取り逃がしては……」

まして、五井兵馬は使い手であった。

「運を天さ」

二人はそのまま八丁堀をとび出した。

途中、次々と仙助の手先が走ってくるのは、丸八を出た男達の行く方角を教えるためである。

仙助に追いついたのは、深川の木場の近くだった。

「旦那、奴らは大新へ入りますぜ」

材木問屋であった。前の年に葺き直したばかりの屋根瓦が黒く沈んでみえる。

「何人だ……」

「全部で八人で……」

「侍がいるか」

「わかりません、黒装束で……」

猶予はなかった。一人が大新の塀へ梯子をかけた、するすると上って行くのを、残り五人が見上げている。

源三郎が地を蹴った、東吾も走る、仙助とその手先が一せいにあとから続いた。

裏口を、盗賊の仲間が、内から開けていた。

入ろうとする奴を源三郎が十手で片手なぐりになぐりつける。その間に東吾は大新の庭へとび込んだ。

奥で人の悲鳴がきこえたが、斬られたのではなかったようだ。

「手が廻ったぞ、出ろっ、出ろっ」

東吾はどなった、なるべくなら賊を外へ出したい。果して、はずれた雨戸の間から賊があたふたととび出した。東吾をみかけて刀をふりかぶってくる。躰をひらいて、東吾は敵の足を払った。よろめいて地に倒れるところを続いて庭へ入った仙助が縄をかける。

が、東吾のほうも、ふりむいてみる余裕がなかった、家の中からとび出して来た賊はどれも、かなり腕が立つ、人を斬り馴れている残忍な相手であった。

なんにしても、一人も逃がしてはならなかった。塀の外に三人残っていた筈だから、家へ入ったのは、今、倒したのを含めて五人ということになる。

「野郎っ」

脇からだっと突きかかってくる奴の腕を払い上げ、正面から来たのをやりすごした。

「どけ、捕方《いぬ》は俺がやる」

男が東吾の前へ立った。

その構えに記憶があった。

「やめろ、兵馬」

東吾が叫んだ。

「和世どのが泣くぞ」

返事のかわりに、鋭い突きが来た。東吾は僅かに右に避ける。再び襲ってくるのを、身をひねりざま大きく払った。

岡田門下で、兵馬の突きと同じように、斎藤弥九郎から、

「東吾の剣は春風駘蕩。いくら打ち込んでも風のように躱《かわ》されて、つけ入る隙がない」

これも恐るべき剣だと嘆賞された東吾であった。

「神林か」

声が追った。兵馬も、東吾の剣をおぼえていた。流石に対峙したまま、動かない。

「お首領《かしら》、早く……」

縁側に走りよった男が声をかけ、徳兵衛らしいのが逃げ出した。逃がしてはならなか

った。追おうとする東吾へ、必殺の突きが来る。東吾は躱した。

その時、呼び笛が鳴った。

「東吾さん」

提灯をかかげて、源三郎が走ってくる。

「捕方が来ました」

「危い、源さん」

源三郎へ向けて、兵馬の突きがくり出された。源三郎がどっと倒れる。更に突き出された兵馬の太刀は東吾が払った、白刃が折れた。捕方が走って来て逃げる兵馬を追って行くのをみてから、東吾は源三郎を抱き起した。

「大丈夫か、源さん」

「大丈夫です、殺られてはいません」

躱し切れないとみて、自分から転んだのだと源三郎は土まみれで立ち上った。

「凄い突きですな」

外へ出てみると、捕方を指揮しているのは岩谷平蔵という同心で、年は東吾や源三郎の父親ほども違う、温厚な人物であった。

「東吾さん、抜け駆けはいけませんな」

にやりと笑って、別に捕方を叱咤した。

「逃がすな、一人も逃がしてはならぬ」

首領の徳兵衛以下、六名を捕縛した捕方は、そのまま小梅村の丸八を急襲して、留守番の五名を縛り上げた。が、その中にも五井兵馬は居ない。

夜はすでに明けていた。

その頃には、八丁堀からの指令で、町々の木戸は閉められ、同心、岡っ引が総出で兵馬の探索をはじめていた。

五

なにも知らずに、るいが五井和世について大川端を出たのは四ツ（午前十時）近くで、朝になったら迎えに来るという兄の兵馬は待っても待っても来ないし、今日は子供達が稽古に来る日ということもあって、とにかく、飯田町へ帰るという和世を送るためであった。

虫が知らせたというのだろうか、るいはその時、前夜、布団の下に敷いていた小太刀を紫の風呂敷にくるんで、袂に抱いて出た。

供には嘉助が、これもどうしてもついて行くといってきかない。

町がどこか騒がしいと気がついたのは神田に入ってからで、それでも飯田町の和世の住み家まで、なんのこともなくたどりついた。

和世が案じたように、子供達はもうやって来ていて、先生の留守をよいことに墨をなすりつけ合ったり、とっ組み合いをしたり、思う存分、はねまわっている。

「あっ、おじいちゃん」

お三代の無邪気な声がして、嘉助もふと眼を細くした。

路地に騒ぎが起ったのは、そのとたんで、るいや和世が腰を浮かした時には、白刃を下げた兵馬が立っていた。

続いて捕方が庭先まで押してくる。

「寄るな、近づくと、この子らの命はないぞ」

もはや血の色を失った顔で兵馬がいい、茫然とかたまってしまった子供達に抜き身を突きつけた。

「お兄さま……」

和世が、かすれた声で叫んだが、るいも嘉助も、捕方も石のようになってしまった。子供達は恐怖のあまり、泣き声も出ない。

騒ぎをきいて、捕方の背後に子供の親達もかけつけて来たが、驚愕のため、子供の名を呼ぶ力もない。又、うっかり、子の名を呼んで、その子が走り出しでもしようものなら、斬られるという恐怖があった。

その中で、るいが袂のかげで小太刀を抜いた。

庭にどよめきが起った。新しい捕方が入って来たらしい。その気配に、兵馬が二、三歩、庭のほうへ動いた。瞬間、るいが子供と兵馬の間へ割って入った。子供がわあっとるいの背後へ逃げる。兵馬がふりむいた。るいは小太刀を中段につけて立った。

「おるいさま」

和世が叫び、嘉助が無意識に硯《すずり》を摑んだ。

「おのれ」

兵馬が低くうめき、白刃を下段につけた。東吾がみたのは、この時のるいと兵馬の対峙だった。全身から血がひいたのは、兵馬の突きをるいが躱せるわけがないと思ったからである。如何に小太刀の稽古をした女でも、兵馬の突きは必殺業であった。

東吾は走った。が、兵馬の白刃はそれより早い。嘉助の手から硯が兵馬へ向けてとんだ。大きな蝶が舞ったように、るいが小太刀をひらめかした。兵馬の突きは、るいに届かなかったものか。

捕方が兵馬にとびついた。ふりはなして兵馬が庭へ出る。白刃が血しぶきをあげ、そのまま、路地を押し出して行った。

稲荷明神の石段下で兵馬が腹に已れの刀を突き立てて、捕方につかまったのは、その直後であった。

「るい、お前って女は、おてんばもいいところだぞ」

東吾が走りよって、るいの手をとると、るいは小太刀を嘉助にあずけて、いきなり東吾にすがりつき、声をあげて泣き出した。

そんなるいを大川端へ送り、別に放心している和世は源三郎が伴って、とりあえず八丁堀へ連れて帰った。

東吾と源三郎の友情は、結局、なんの役にも立たなかったが、徳兵衛一味は一人残らずお召捕りになり、江戸の人々を安堵させた。

「どうも、昨夜のお手配は、神林通之進様のようですぞ」

東吾が八丁堀へ戻ってくると、待っていた源三郎がいそいで耳うちした。

「兄上の……」

「岩谷どのがおっしゃるのですから、間違いはありません。我々が仙助の知らせを受けて八丁堀を出た直後に、通之進様のお手配があったそうです」

わけのわからぬ顔で、東吾が屋敷へ戻ってくると、兄嫁の香苗が可笑しそうに呼びに来た。兄が居間で待っているという。

「どうして、兄上は我々が出かけたことを知ったのですか」

間が悪いから、最初から疑問をぶっつけて、東吾は居間へ入って行った。

「馬鹿者、悪事、千里を走るとは、このことだ」

「悪事……」

「捕物に私情は禁物。なまじ、私情に負けて、一味をとり逃がしたら、なんといいわけするつもりだった」

「ですから、兄上、どうして、手前どもの相談を……」

「俺の耳は地獄耳だ」

兄が与力らしからぬ口のきき方をするのは上機嫌の時だと知っていて、東吾はやっと安心した。叱っているようで、兄の眼に怒りはない。

「立ち聞きを遊ばしたそうですよ、東吾様のお部屋の外で……」

たまりかねて、香苗が助け舟を出した。

「立ち聞きですか」

「以後、気をつけよ。密談を馬鹿声で喋る馬鹿はお前ぐらいのものだ」

「大層、御心配なさって、内々に深川までお出かけになったのですよ。東吾様の御無事なお姿をみてからお帰りになったそうで……」

香苗の声が少しうるんだ。

「兄上……」

そうだったのかと、東吾は頭を垂れた。

無鉄砲な弟の身を案じて、与力という職掌を忘れて、捕物の現場まで出かけてくれた兄である。普通、捕物の現場へ与力が顔を出すことは、あり得ない。

弟に私情を叱ったくせに、自分も私情に負けて与力にあるまじきことをやってのけた兄が有難く、東吾は、つい、ほろりとなった。

「申しわけありません。以後、慎みます」

「慎みついでに、もう一つ」

兄の声が、又微笑した。

「衆人環視の中で、大層な美女に抱きつかれたそうではないか。それも、貴様の不徳のいたすところ、よくよく慎むがよいぞ」

るいのことが、もう耳に入っていると思い、東吾はいよいよ肩をすくめた。兄と兄嫁がそんな東吾を可笑しいといって、又笑う。

兄の居間をやっと抜け出して外へ出ると、門の前に源三郎が立っている。

「神林様にお詫びに参ったのですが、どうも敷居が高くて……」

「うんと怒られて来い。俺はもう、さんざんやられたんだ」

笑って、東吾は先刻から考え続けていたことを口にした。

「どうして、兵馬の突きが、るいに通じなかったと思う」

飯田町での、あの一瞬である。

東吾や源三郎でも、容易に躱し切れない兵馬の突きを、どうして、女のるいが躱し切れたのか。

「兵馬の奴、るいに昔、惚れていたんだ。それで、突きを手加減しやがった」

源三郎が眼を丸くした。

「知らなかったんですか。手前は十年前に知っていました。五井はおるいさんを好いていましたよ、無論、おるいさんは気がついて居られなかったでしょうが……」

「やっぱり、そうか」

「どなたかさんは、惚れられていると思って、少し、のんびりしすぎているようですな。もっとおるいさんを大事になさらぬと、いつか、鳶《とび》が油あげをさらって行きますぞ」

「るいの奴、惚れられているのも知らないで、女だてらに小太刀なんぞ抜きやがって……」

東吾が遠い眼をした。

「兵馬が、哀れだ」

「お忘れになることです。五井はいい最期でした。和世さんのことは、手前におまかせ下さい」

それにしても、兄の通之進の耳に、るいが東吾に抱きついて泣いた話が伝わっているのでは、

「当分、大川端へは行かれませんな」

源三郎は気の毒そうにいったが、その二日後、源三郎が町廻りから戻りがけ、永代橋の上から何気なくみていると、大川端は「かわせみ」へ続く道を、東吾が糸の切れた凧のように、とんで行くのがみえた。

その「かわせみ」では、るいが雛をかざって、白酒を用意し、東吾の来るのを待っている筈である。

気がついてみると、宵節句、橋の上を吹く風も、どことなく春であった。

ほととぎす啼《な》く

一

別に雨洩りがしたわけではないが、長雨の季節を前にして、一度、屋根の様子をみてもらっておこうかと、るいがいい出して、それなら今夜の中に、屋根屋へ声をかけておきましょうと、せっかちに出かけて行った嘉助が、用事をすませて大川端の宿「かわせみ」へ戻って来た時、若い男を連れていた。

すぐ近くの南新堀町の油問屋、山崎屋の手代で新吉という。るいも顔見知りであった。

「かわせみ」の裏口に突立っているのを、嘉助が声をかけると、聞いてもらいたいことがあって訪ねて来たと、おどおどしながら、告げたので、とりあえず帳場の裏の、嘉助の部屋に通し、ちょうど、遅く着いた客の世話で、女中頭のお吉も、他の女中達もいそがしそうだったから、るいは自分でお茶を入れて、運んで行った。

「あいすいません、とんだお手数をかけまして……」

嘉助の前にかしこまって話をしていた新吉が、るいをみて、大きな体を小さくしてお辞儀をした。

山崎屋の先代からの番頭で治助というものの悴で、親子で山崎屋に奉公している。

今年二十五といい、上背のある、なかなかの男ぶりであった。

「これは、どうも、手前の一存では判断しかねますので……」

お嬢さんは、どうお思いになりますか、と前置きして、嘉助が新吉の話というのを取り次いだ。

「なんですか、山崎屋さんに、ここんところ奇妙なことがあいついで起って居りますそうです」

最初に事件が起ったのは、今月の二十六日で、居間で夫婦そろって朝飯の箸をとった主人の彦兵衛が味噌汁がおかしいといって吐き出してしまった。

さわぎでとんで来た番頭の治助や女中達が味噌汁の匂いをかいでみると、たしかに異臭がする。が、この時は彦兵衛が命じて、味噌汁を全部、捨てさせただけで終った。

「あまり、さわぎ立てないようにと旦那がおっしゃいまして……味噌汁の実の、つまみ菜の中に、なにか毒のある草でもまじっていたのではないか、さわぎ立てて、とが人を出すほどのことではないし、これから気をつければそれでよいといわれました」

が、それから三日経った昨日の夜、今度は彦兵衛が、大川へ突き落された。

「昨夜っていいますと、たしか雨が降り出していて……」

るいが膝を乗り出した。

「左様でございます。暗くなってから降り出しまして……旦那様は夕方から鉄砲洲稲荷の近くへ揉み療治にお出かけになりました」

彦兵衛は生まれついて肩の張る性質で、随分、上手だという按摩の手にかかったが、次第に癖になってしまって、ちっとやそっと押してもらっても効かなくなり、鍼《はり》療治や灸おろしもやってみたが、どうも思わしくない。

ところが、昨年の秋に本湊町に住んでいる浪人で、松田元右衛門というのが、柔術から考え出した療治をしていて、いささか荒っぽいが、彦兵衛のようなのにはまことによく効くと教えられて、行ってみたところ、成程、具合がいい。

肩こりばかりでなくて、持病の胃痛も起さない。五日おきぐらいに半年ほど通えば、一生、医者の厄介にならない体にしてみせるといわれて、彦兵衛は喜んで治療に出かけていた。

商人が店をあけている中に、揉み療治に通うのは、世間様に申しわけないという彦兵衛の主義で、出かけるのは、店の大戸を下してからで、昨夜も暮六ツをすぎて本湊町へ行った。

「その後で、雨が降り出しまして、旦那様が傘をお持ちでないのに気づきまして、お内儀さんが市之助を松田様へやりました」

その帰り道、稲荷橋の先の小橋の上から何者とも知れぬ男に突き落されたという。

「ちょっと待って下さい。突き落されたっていうけれど、あの辺りの橋は欄干《らんかん》がついているだろうのに……」

るいがいって、嘉助がそんなるいを眺めて微笑した。すっかり、「かわせみ」の女主人が板についたるいだが、こういう話になると、生まれ育った八丁堀の癖がひょいと出る。それは、嘉助にしても同様であった。

「さあ、そこのところは、手前はくわしく存じません」

幸い、小僧の市之助というのが、石川島の漁師町の生まれで、咄嗟《とっさ》に助けを呼びながらとび込んで、おぼれかかっていた彦兵衛を助けた。

「なにしろ、一度ならず二度までのことでございますので……」

話しながら、新吉は暗い表情になった。

「お上には、届けたのかね」

嘉助が、はじめて口をはさむ。

「いえ、それが、まだでございます」

「どうしてですか、そんな危いめに会いながら……」

「それが、旦那様はびしょぬれでお帰りになって、思うところがあるから、川へ落ちたのは、自分のあやまちだということにしておくとおっしゃいまして……」

雨の夜更けのことで、市之助の声をきいて駆けつけて来た人も少かったのだが、その人々に、彦兵衛は、急に気分が悪くなって、もどそうと思って欄干から身を乗り出した拍子に気が遠くなって、水に落ちたと説明したらしい。

「だって、人に突き落されたのは、市之助さんがみてるんでしょう」

「へえ、暗くてよくわからなかったが、背の高い男が旦那様を突き落したと申して居ります」

「背の高い男……」

るいは、なんとなく新吉を眺めた。彼も背はかなり高いほうである。

「なんにしても、それはお上に届けなければいけませんよ。御主人は店の体面とか、外聞を気にしていらっしゃるのかも知れませんけど、一つ間違えば、命にかかわる大事ですもの……」

そういっても、新吉はうつむいたきりである。

「番頭さんは、なんといってるんです」

「へえ、何事も、旦那様にお考えのあることだからと申しまして……」

新吉の父親に当る番頭の治助は、先代からの忠義者で、商売も店のことも、一切、とりしきっている。

「とにかく、明日、嘉助をやりますよ、番頭さんと話し合って、それなりに手を打つようにしましょうから……」

夜は更けているし、いつまで話をしても肝心のところになると、新吉の話がもう一つ、はっきりしない。仕方なく、るいはそういって、とりあえず、新吉を帰した。

そのあとで、嘉助とるいが、仕事を終えたお吉をまじえて新吉の話をしかけた時、くぐり戸を叩く音がして、出て行った嘉助が、

「若先生がおみえでございますよ」

嬉しそうに取り次いで来た。

珍しく、東吾は少し酔っていた。

「そこまで、源さんと一緒だったんだ」

「お二人でお飲みになるなら、うちへ来て下さればいいのに……」

居間で着がえを手伝いながら、るいはお吉に水を運ばせたり、熱い湯で手拭をしぼって、東吾に顔を拭かせたり、世話女房になり切っている。

「ねえ、お嬢さん、さっきのお話、東吾様にしてごらんになったら……」

もう酒はいらないという東吾に煎茶をいれながら、お吉がうながして、帳場から嘉助もやってくる。今しがた、新吉から聞かされた話を、今度は東吾が聞かされることになった。

「山崎屋ってのは、その先の……南新堀町の油屋だな」

流石《さすが》に「かわせみ」の周囲の店の名を、東吾は知っていた。

「番頭さんがそりゃあいい人で、うちはなにしろ宿屋稼業で燈油がよそさんより多く入用なもんですから、小売りで買っては大変だろうと、いつも安くわけてくれてるんです

よ。なにしろ、近頃の燈油の値段なんて、べら棒なんですから……」

お吉が早速、所帯じみた話を持ち出した。

たしかに、この時代、燈油用の油の値は高く、米の四倍から、悪くすると五倍にもなることがあるし、酒と比べても二倍以上、そのため、岡場所などでは魚油を使っているが、これは黒煙がひどくて、とても「かわせみ」では使えない。

大体、宵から寝るまでに使う油の量は四勺というが、宿屋の場合、部屋数に応じて、使用量もふえるし、廊下の明りは夜っぴて点《とも》しておかねばならないから、けっこう大きな費《つい》えとなった。

「番頭っていうのは、五十がらみの背の高い男だろう、主人の彦兵衛の顔はみたことがないが……」

「御養子さんなんですよ。先代のお嬢さんが一人娘なもんで……たしか、寅年っていいましたから三十五でしょうかね」

山崎屋に関しては、一番、物知りのお吉がもっぱら、返事をする。

「先代夫婦は死んだのか」

「ええ、おかみさんのほうは、大分、前でした。先代が歿《なくな》ったのは、お小夜さんが十八の時で……聟をとって半年目でしたかな、もう三年前になりますよ」

その前から体を悪くしていて、生きている中に、娘の聟をきめなければとあせって、遠縁に当る今の彦兵衛を養子に迎え、安心して逝ったものだという。

「三年前に十八っていうと、彦兵衛の女房は今、二十一……彦兵衛が三十五だとすると、ちょいと年齢がはなれてるな」

東吾の言葉に、るいがつんとした。

「殿方はいくつになっても、若いおかみさんがいいものだそうじゃありませんか」

「そんなことはないだろう。誰かさんのように年上女房でないと、夜も日もあけないって男もいるんだ」

そういう東吾は、るいより一つ年下だが、これは、るいが年より若いし、気をつけているから、誰がみても姉さん女房にはみえないが、そこは女でなにかというと気にもするし、突っかかってもくる。

「あんまり年が違いすぎるのも、どうでございましょうかね」

嘉助が、もっともらしい顔で助け舟を出した。

「山崎屋さんの場合、彦兵衛さんが年よりも分別くさいお人でしたし、又、お内儀さんはいつまでも子供っ気の失せないようなところがございますんで……御夫婦になった当座はどことなく、しっくりしないようなところがございました」

江戸の桜はすっかり散ってしまったという季節なのに、どうかすると夜になって冷え込むような日が多い。

お吉が心得て、夜食の蕎麦を用意して、

「かまわないから、ここで頂きましょうよ。そのほうが話しやすいから……」

るいの言葉で、四人が車座になって、蕎麦をすすりはじめる。

「それにしても、味噌汁に毒物をぶっこまれたり、川へ突き落されたりしているのに、お上にも届けないというのは、山崎屋にはよっぽど、後ろめたいことでもあるのか」

東吾の問いに、嘉助が答えた。

「彦兵衛さんにしてみたら、養子に来て三年目、自分の代になって、店の名前を傷つけてはという気持があるのかも知れません。又、番頭さんにすれば、そういうご主人に遠慮があって、思うように出来ないでいるんじゃないかと思います」

どっちかというと、この辺りをとりしきっている岡っ引は、桶屋の清六といって、人間は悪くないが、まだ三十代で、少々、お先っ走りでもあり、手柄をあせるようなところがあるので、そういうことも、山崎屋からすればお上に届けにくくしているのかも知れないと、流石に嘉助は行き届いた目のくばり方をしていた。なにしろ、昔は八丁堀で鬼と呼ばれた同心の、腕っこきの小者だった男である。

「あたし、ちょっと気になるんですよ」

嘉助もお吉も各々の部屋へひきとって、東吾と二人になった時、るいがいい出した。

「彦兵衛さんが、あの家へ養子に来たのは、ちょうど、あたしがかわせみの店を持って半年目だったんですけどね。その頃、お小夜さんの聟には、今、手代の新吉さんがなるんじゃないかって噂があったんです。ですから、彦兵衛さんが来た時にはびっくりしてしまって……」

新吉は、お小夜より四つ年上で、その当時こそ、少しばかり頼りなくもみえたが、今になってみると、あまり風采の上らない彦兵衛よりはずっとお小夜には似合っていると、るいはいう。

「夫婦なんてのは、みかけじゃないさ。人からみたら不似合いな夫婦でも、夜になるとこれ以上しっくり行くものはないってのが案外、多いもんだそうだ」

東吾は、わかったような口をきいて、るいを、ひきよせた。

「もっとも、俺達なんざ、外からみたって似合いだし、内からみたら尚更……」

「馬鹿ばっかし……」

るいは慌てて、男の口を封じた。

二

山崎屋の事件が、伝わって来たのは翌朝であった。

「昨夜、山崎屋の治助さんが殺されたそうですよ」

毎朝、薬を売りにくる女からきいて、お吉が仰天して、居間へ告げに来た時、東吾は朝風呂から出て、るいのいれた茶を飲んでいた。

「昨夜って、いつ……」

「よくわかりませんけど、彦兵衛さんが揉み療治から帰って来て、番頭さんの死んでるのをみつけたっていいますから……」

「下手人は……」

「さあ……今、嘉助さんがみに行きましたから……」

その嘉助と一緒にやって来た桶屋の清六の口から、すべてがわかったのは、もう午近くで、

「おさわがせしてあいすみません。嘉助さんから、あらましのことはききましたんですが、念のために少々、おうかがい申したいと存じまして」

るいの前身は勿論、八丁堀同心の娘とわかっていて、清六は庭先に遠慮そうに小腰をかがめた。

昨夜、新吉が、この家へ来たのは何刻から何刻までで、挙動に不審はなかったかと問う。

「新吉さんに、なにか、疑いでもかかっているんですか」

るいにいわれて、清六は頭へ手をやった。

「そうとは申しかねますが、念のためでございます」

新吉が訪ねて来たのはおおよそ夜五ツ、これは江戸時代の不定時法（夜明けと日暮を境にして昼と夜を各々六等分するやり方）でいうと、この季節では今の午後九時近くに当る。

帰ったのは夜四ツ前で、午後十時半前後に相当する。

「別に不審なところはございませんでしたけど……」

るいの返事に、お吉も強くうなずいた。

「ありがとう存じます」

礼をいってから、清六は昨夜の様子をかいつまんで語った。

昨夜、山崎屋彦兵衛は暮六ツをだいぶすぎてから店を出て本湊町の松田元右衛門のところへ療治に行った。

「いつもは五日おきでございますが、実は川へ落ちてから、冷えたのでございましょうか、久しく忘れていた胃の痛みが僅かながらございまして、これはおおごとにならない中に、松田先生にみて頂いたほうがよいと考えまして……」

思い立って、急に出かけて行った。

療治を受けて帰って来たのが、ちょうど五ツ半頃、

「いつもより帰りが遅うございましたのは、出かけるのも遅れましたし、松田先生のところで、夜鳴き蕎麦を頂いたりして居りましたので……」

帰って来て、大戸を叩いたが、誰も出て来ない。

「たまたま、昨夜は小僧の市之助が、母親が急病だと使いが参りまして、暮れ方から石川島へ帰りました。それにしても、番頭さんも新吉もいる筈だし、女中も、お小夜もなにをしているのかと思いまして……」

暫く、大戸を叩いていると中二階に寝ている下女のお梅が、起きて来て、戸をあけた。

叱言《こごと》をいって戸じまりをさせ、奥へ通ってみると、居間にも寝間にもお小夜の姿はな

くて、居間の裏庭に向った雨戸が一枚開いている。

手燭をかかげてみると、沓脱石《くつぬぎ》のところにお小夜が倒れていて、その前方の石燈籠が崩れて、治助が下敷になって死んでいた。

「どっちから手をつけてよいか、彦兵衛も仰天したらしゅうございます」

お小夜を抱き起したり、番頭の名を呼んだりしている中に、まず気を失っただけのお小夜が意識をとり戻し、そこへ新吉が帰って来た。

「手前が呼ばれて行ったのは、もう四ツすぎでございまして、新吉の顔をみて、やっと落ちつきをとり戻した彦兵衛が、女中を起して使いに走らせたようで……」

彦兵衛が帰って来た時、起された女中が、そんなさわぎにも気づかず寝込んでしまったのは、中二階が奥とかなりへだたっているのと、

「女中のお梅というのは耳が遠く、そのせいか少々、愚鈍なようで……」

清六の家へ来た時も、なんで使いに来たのかわけがわからず、

「まさか、人が殺されているとは思いもしないで、先に若い者をやったりしまして、それで、随分、後手に廻りました」

清六が弁解まじりにそういったのは、彼が出て行ったのが遅かった為に、現場がいいように荒らされて、犯人の手がかりをつかむのに面倒なことになってしまったかららしい。

清六が行った時には、お小夜は奥の部屋に寝かされていたし、石の下敷になっていた

という治助の死体からは、石がとり除けられ、場所も庭のすみに移してあった。

「そんなわけで、はなからやり直しでございます。お手数をかけてあいすいません」

清六が帰ってから、奥にひっこんで話だけきいていた東吾が出て来た。

「いったい、誰が、そんなひどいことをしたんでしょう。あんないい番頭さんを……」

るいが顔色を変え、お吉は涙をこぼしながら、

「どうぞ、東吾様から畝の旦那におっしゃって下さいまし。あの、清六じゃ頼りになりませんから、どなたか腕っききの親分に助勢をお命じ下さって、一刻も早く下手人を挙げてくれるように……それでなけりゃ、治助さんだって死んでも死に切れませんよ」

お吉がそういう言葉の裏には、清六が新吉の昨夜の挙動を気にしていたのがひっかかるらしく、

「どうかしてますよ、清六親分は……。どこの世界に孝行息子が一人っきりの父親を殺すもんですか」

と、むかっ腹を立てている。

「そりゃあわからないぞ。親子、兄弟が憎み合ったり、怨み合ったりすると、赤の他人より凄じいことになるためしはいくらもあるじゃないか」

うっかり東吾が天《あま》の邪《じゃ》鬼《く》をいうと、お吉はまっ赤になった。

「人によりけりでございますよ。新吉さんに限ってそんな人じゃありません。仲のいい、親子だったんです。第一、東吾様、東吾様が神林の兄上様に刃をむけることがお出来に

なりますか、冗談じゃございませんでしょう」

「およし、お吉らしくもない。いい加減にしなさい」

るいにたしなめられて、お吉は、はっと我にかえったらしく、東吾にあやまって、しょんぼり台所へ下って行った。

「あんまりお吉をからかわないで下さい。それでなくたって、親しくしていた治助さんが殺されて、度を失っているんですから……」

「かわせみの女どもは、いい男によわいらしいな」

東吾は笑った。

「新吉が醜男《ぶおとこ》なら、お吉もあれほど贔屓《ひいき》にするまいよ。案外、あんな男は親も殺しかねないなどといわれてね。器量がいいってのは得なもんだ」

そんなことをいったくせに、東吾がそそくさと帰って行ったのは、やはりお吉の頼みをきいて、畝源三郎に、この話を知らせるためとみえた。

三

夜になって、東吾が畝源三郎と「かわせみ」へやって来た。

「それごらん、うちの旦那様は、なんのかのとおっしゃったって、結局、お吉の贔屓なんだもの、ちゃんと畝様をお連れになったじゃないの」

るいがのろけまじりに、お吉へいって、お吉は平身低頭して二人をるいの居間へ通したのだが、話の内容は必ずしも、いい結果ではなかった。

「源さんが清六からいろいろ、きき出してくれたんだが、どうも、清六に、お小夜を下手人と考えているようなんだ」

思いがけない東吾の言葉に、お吉もるいも息を呑んだ。

「理由はいろいろあるのですよ」

例によって、定廻り同心らしからぬ、おだやかで丁寧な物言いをして、しかし、てきぱきと源三郎が説明した。

「清六が最初、お小夜からきいたところによると、お小夜が居間でぼんやりしていると、裏庭の雨戸を叩く音がする。なんの気なしに雨戸をあけてみたが誰もいない。そこで二、三歩、庭へ下りかけると、いきなり後から首をしめられて、それっきり気を失った。あんまり不意だったので、曲者《くせもの》の姿はみていないと、こういうのだそうです」

「そうしますと、曲者はお小夜さんの首をしめている時、物音で治助さんがとんで来たので、今度は治助さんを押えつけ、石燈籠へむかって投げとばすかして殺したんでしょう」

夢中になってお吉がいい、

「もの凄い大力《だいりき》の曲者だな」

東吾が笑って、るいから膝をつねられた。

「清六も最初はそんな見当をつけたようです。いや、そう、思わせようと彦兵衛は考えたらしいのですよ」

　穏やかに源三郎が話をすすめる。

「彦兵衛さんが……」

「実は、清六が庭を根気よく調べたところ、沓脱石の後に、女物の着物の切れっぱしのようなものが落ちていて、それがお小夜の帯揚げの端だったのです」

　残りの帯揚げは燃そうと思ったらしく、風呂場の焚き口へ押し込んであったのを、清六の下っ引がみつけ出した。

　女中のお梅に、これは誰のだとたずねると、あっさり、

「お内儀さんのいつもしていた帯揚げです」

と返事をした。無論、風呂場の焚き口にそんなものが入っていたのは、お梅の知らないことで、

「そういえば、今朝、旦那様がその辺をうろうろしてなさいましたが……」

　帯揚げの端には血らしいものもついている。清六がその品を主人の彦兵衛にみせると、暫く茫然としていたが、やがて、

「致し方ございません。なにもかも申し上げますが、どうぞ、お小夜についてはお情をおかけ下さいまし」

　本当をいうと、沓脱の後にかくした布っぱしは、死んだ治助が手に握りしめていたものだという。

「手前が帰って参りまして、お小夜と治助が庭に倒れているのをみたのまでは本当でございますが、その時治助はまだこと切れて居らず、虫の息でうめいて居りました。手前に向って右手を差し出すようにしてそのまま、息が絶えましたのですが、その右手に握っていたのが、お小夜の帯揚げの端で……」

どうみても争ったはずみに千切ったようである。お小夜が意識をとり戻してから訊ねてみると、

「曲者に首をしめられた時に、夢中で相手を突いたような記憶があると申します」

ひょっとすると、お小夜が最後の力をふりしぼって突いたはずみに、治助がよろけて行って石燈籠にぶつかり、

「あの石燈籠は出来が悪くて、以前に地震の時、くずれ落ちたのを、素人がのせておいたと申してますから」

案外、簡単にくずれて、治助がその下敷になってしまったのではないかと思われた。

そうなると正当防衛には違いないが、人殺しになる。

「それでは家内がかわいそうでございますし、世間体も考えて……帯揚げをかくそうと致しました」

と手をついた。

「おかしいですよ。なんで、あの番頭さんが家つき娘のお小夜さんを殺さなけりゃならなかったんですか。赤ん坊の時から、お嬢さん、お嬢さんってかわいがっていたってい

うのに……」

お吉の疑問は、やはり清六にも疑問だったらしい。

清六が、それを訊くと、彦兵衛は、ただ、

「手前は、山崎屋には来るのではございませんでした」

といって、はらはらと落涙したという。

とにかく、彦兵衛がそれ以上はどうなだめすかしても語らないので、今日の夕方から清六が畝源三郎の許しを得て、山崎屋の夫婦は勿論、奉公人の身の廻りの品々まで、全部、あらためた。

「なにか出ましたんですか」

るいが源三郎の口許をみつめると、源三郎は苦笑した。

「出ました」

まず、第一の不審は、山崎屋の帳簿を改めると、昨年あたりから、収支が合わなくなっていて、全部で百五十両ばかりの金が使途不明になっている。

更に驚いたのは、新吉の行李《こうり》の底から、お小夜からの恋文が数通出て来たのと、治助の荷物の中に五十両の金が風呂敷にくるんで、下着の間にしまい込まれていたことであった。

お小夜からの恋文はいずれも新吉に対する恋心を綿々とつづったもので、夫婦の約束をかわした上は、どんなことがあっても彦兵衛と夫婦になるつもりはないし、もしもの時はかけおちしても添いとげたいし、それもかなわぬなら心中も覚悟しているという大胆なものであった。

「やっぱり、そんなことがあったんですか」

これは思い当るらしく、お吉は急に神妙になってしまった。

「そのこと御主人は御存じだったんですか」

「わかりません。なにしろ、恋文のことも、五十両のことも、清六と手前しか知らぬようにしてあります」

「源さん、俺に片棒かつがせないか」

いきなり東吾がいいだした。

「定廻りの旦那が、商家のいざこざに顔を出すのも大袈裟な話だ。山崎屋には長いことかわせみが油を安くしてもらって助かってるそうだ。俺としても悔みに行くくらいの義理はあるから、清六にちょいと声をかけといてくれ」

畝源三郎は笑っていたし、るいも東吾の冗談のつもりでいたのだが、翌日になると「かわせみ」の裏口へ清六がやって来て、

「畝の旦那のおいいつけで、神林の若様のお供をさせて頂きます」

という。

「それじゃ、るいも一緒に行くか」

取り次がれた東吾は、けろりとしてさっさと大小を腰に立ち上った。

山崎屋までは歩いてもいくらでもない近さだった。

四

今日は五月晴れといってよいほど、さわやかな日で、表に菖蒲《しょうぶ》太刀売りが出ている。毎年四月の末から五月にかけて売りに出るもので、端午の節句の飾り物として初節句には欠かせない。

「そういえば、もう二日でお節句ですね」

金銀の派手な飾り太刀を横目にみて、るいはなんとなく嘆息をついた。

自分やお吉がいい出したことが、かえって親しかった治助や新吉、お小夜の恥をほじくり出したようで、後味が悪い。

山崎屋は大戸を下し、商売を休んでいるようであった。

清六が入って行くと、蒼い顔をした新吉が出て来た。

「旦那は……」

声をかけたのが東吾で、この辺の者は大方、「かわせみ」へ来る東吾の顔を知っているから、なんとなくどぎまぎして、

「奥でございます」

といい、案内に立った。清六が先に、東吾とるいが後に続く。

彦兵衛は居間につくねんとしていた。清六をみ、るいと東吾をみて、わけのわからな

い顔になった。

「かわせみが世話になっている番頭さんにとんだことがあったときいて、悔みに来たんだ」

東吾が変な挨拶をして、るいが用意して来た香奠《こうでん》を出した。

「それは、おそれ入ります」

彦兵衛は早速、それを新吉に廻した。

「お礼を申し上げて、仏間へ御案内しなさい」

新吉が立ち、清六とるいが従った。続いて彦兵衛が立とうとしたが、東吾がまだ、すわっているのをみて、ためらった。

「お小夜さんといったな。お内儀の具合はどうかな」

「ありがとう存じます。まだ、寝たきりでございまして……」

東吾の身分を知っているだけに、相手の意図が摑みにくいようである。

「つかぬことを訊くが、お内儀と年がかなり違うが、閨房は円満かな」

彦兵衛が啞然とした。東吾はまじめな顔をしている。

「お内儀はなかなか色っぽいそうだが、艶聞などはどうかな」

彦兵衛はまっ赤になった。

「とんでもございません。手前共の女房に艶聞などあるわけがございません」

相手が相手だけに怒り切れないのが、一層、腹立たしいらしく、唇がわなわなと慄えている。

「どなたがどのようなことをお耳に入れたか存じませんが、お小夜は貞淑な女房でございます。手前はお小夜を信じて居ります」

東吾があっさりうなずいた。

「知らぬは亭主ばかりなりさ、ま、仏間の外へ来ているがいい」

仏間へ入って来た東吾は、るいがどきりとするくらいきびしい表情をしていた。

「新吉……」

いきなりいった。

「お前、いつから主人の女房とねんごろにしていた……」

新吉が、あっと声をあげた。

「かくしても無駄だ、お前の行李の底から、お小夜の恋文が出たぞ」

うつむいた新吉の顔から血の気がひいた。

「主家の娘に手を出して、知らん顔をして奉公しているお前もいい度胸だが、亭主の甘いのをいいことに、不義密通を重ねていた女房もたいしたもんだ。世の中、盲千人なら目明き千人ってことを知らねえのか」

「申しわけございません」

悲痛な声をふりしぼって、新吉が東吾ににじり寄った。

「たしかに、あのお文はお嬢さまから頂戴したものでございます。けれども、それはみんな、旦那様が御当家へお出でなさる以前のことで、不義密通などとはとんでもない。お嬢さまは潔白でございます」

「あんな恋文を書く女が、潔白なら、すれっからしの女房はみんな潔白ってことになりかねまいが……」

「とんでもない。悪いのは手前でございます。奉公人の分際で手前がお嬢さんに思いをかけたのが料簡違いでございました。お嬢さんは、ただ若い娘の世間知らずから、夢のようなお気持で、あのお文をお書きになっただけで決して本心ではございません」

「そうすると、先に惚れたのはお前のほうか」

「先にも後にも、思いをかけたのは手前だけで、お嬢さんにはなんのお気持もございません」

子供が絵物語を読んで、その真似をしてみたような、それだけのことだと新吉は強調した。

「旦那様との御縁組がきまった時、手前はお嬢さんと話を致しました。そうして、お嬢さんはきれいなまんまで、旦那様の許へ嫁がれたのでございます」

「お前が、お小夜を思い切ったのは、お前の考えできめたことか、それとも、他からの入れ智恵があってのことか……正直にいわねえとお小夜がとんだことになるぜ」

傍できいていたるいは、茫然とした。普段、行儀のいい東吾が、町同心のような巻き舌で凄んでいる。

「まことを申しますと、あのお文を親父にみられまして、意見をされました」

本当にお小夜を思うなら、死にもの狂いで働いて、お店に忠義を尽すのが、奉公人の恋心だと、治助に泣いて説得されて、新吉は苦しい恋をあきらめたといった。

「お嬢さんと手前の間にはなんにもございません。あのお文を処分しなかったのは手前の落度でございます。親父様にも必ず、焼き捨てるようにいわれて居りましたのに……」

新吉は泣いた。そんな新吉を暫くみていて東吾は仏間を出た。

廊下に彦兵衛が自失したように立っている。

東吾が歩き出すと、よろめくようについて来た。

「信じられません、手前には……」

東吾が彦兵衛をふりむいた。

「しかし、うすうす気がついていたんじゃないのか、番頭親子がお前さんを邪魔にしてるってことは……」

彦兵衛がうつむいた。黙ってはいるが肯定の気配である。

「味噌汁に毒を入れられたり、川へ突き落されたりしながら、よく辛抱していたな。養子ってのは、それほど、店の体面を気にするものか」

東吾の言葉に、彦兵衛が動揺した。

「やはり、治助の仕業でございましたか」

「そいつは、お前さんが一番よく知っている筈さ」

彦兵衛が再び、うつむき、東吾が黙った。

「そうしますと、治助はどうして、お小夜を……」

憎くて邪魔なのは、彦兵衛一人なのに、新吉が惚れているお小夜を治助が殺そうとした意味がわからないという。

「可愛さ余って憎さも百倍というではないか」

「ですが、もし治助親子がこの店を乗っ取ろうというのなら、お小夜を生かしておきませんことには……」

彦兵衛が死んで、新吉がお小夜と夫婦になれば山崎屋は自分達のものになるが、お小夜が死んでしまっては、奉公人が店を自由にするわけには行かない。

「成程……」

東吾が別にいった。

「そういえば、内儀さんは金づかいの荒いほうかな」

彦兵衛が答えない中に、東吾が続けた。

「治助は、お小夜をゆすっていたらしいな」

「なんでございますって……」

「新吉へあてた恋文をお前さんに暴《ば》らすとでもいったのだろう。治助は五十両からの金を持っていた」

彦兵衛が廊下にすわり込んだ。

「どうぞ、絵ときをなすって下さいまし。手前にはなにがなんだか……」

「治助をおびき出して殺したのは、お小夜の仕業さ」

きっぱり東吾はいい切った。

「お小夜は新吉へあてた昔の恋文をネタに治助から金をゆすられていた。そうそうは金の工面もつかないだろうし、いつ、亭主に暴らされるか怖しくなって、治助を殺すことを考えた」

居間の縁に東吾は立っていた。そこから沓脱のある、例の裏庭が晩春の陽ざしを浴びて広がっている。

「お小夜は大事な相談があるといって治助を庭へ呼び出した。あの晩は月がなかったから、お小夜は手燭を持って居間を出て、沓脱に下りかけて、そこで手燭をわざと取り落した。びっくりして治助がうっかり腰をかがめる。その時、縁側においてあった四角い石を思いきり振りあげて治助の頭を打った。それからぶっ倒れている治助をひきずって石燈籠の前へおき、石燈籠を突きくずして、治助を殺したんだ。あとは、お前の帰ってくるのを見計らって、気絶したふりをすればよい。治助がお小夜の帯揚げをつかんでいたのは、おそらくひきずられて行く時にでも、夢中でひき千切ったんだろう」

「そんなことが、女の非力で出来ましょうか。石燈籠を突きくずすなどということが……」

東吾が庭へ下りた。縁の下をのぞいて縄と五尺ばかりの角材をとり出した。先端がなにか固いものでもぶつけたように傷になっている。仏間からるいも清六も新吉も出て来て、東吾のやることをみつめていた。

石燈籠のくずれたままのを、元のように積み直せと東吾がいい、清六と彦兵衛がなんとか元の形に積み重ねた。東吾はその後の楓の大枝に縄で角材を吊り下げた。

「みるがいい……」

鐘の撞木《しゅもく》を引く要領で東吾が角材の縄をひいた。角材の先端は正確に石燈籠に当って、たいした力が加わったとも思えないのに、鈍く崩れ落ちる。

「若様」

清六が呼び、東吾が威勢よくどなった。

「お小夜をしょっぴいて番屋へ連れて行け」

新吉が清六にすがりついたが、ふりとばされて庭へ転げ落ちた。彦兵衛は石になったように動かない。

お小夜は病床から番屋にひき立てられて行った。

「まあとんだことだったが、悪い夢をみたと思って早く忘れることだ。今度は家つき娘なんぞでなくて、たとい、どんな身分の女でも、自分の好きなのを女房にして、まじめに商売をやって行けば、世間の信用をとり戻せるだろう」

立ち上る気力もないような彦兵衛にそういって、東吾はるいをうながして外へ出た。

大川端までくると小僧の市之助がぼんやり立っている。

石川島へ帰ってみたら、母親は元気で病気だから帰って来いという知らせは誰も心当りがないという。

「そうか、そいつは大方、なにかの間違いだったんだろう」

市之助を「かわせみ」へ呼んで、東吾は訊ねた。

「お前が川へ落ちた彦兵衛を助けた時の様子をくわしく話してくれ」

「橋の途中で、旦那様がふりむいたんです。誰かが呼んでいるといって……橋の欄干のところに傘をさして男が立っていました。顔はみえません。旦那様はわたしに、お前はここで待っていろとおっしゃって欄干のほうへ近づきました。傘でよくみえませんが、男が旦那様をすくい上げるようにして、突き落したと思います」

年の割に、はきはきした答えに東吾は満足したようである。

「よし、ついでにもう一つ聞かせてくれ。お前が川へとび込んで旦那を助けた時、彦兵衛は全くおぼれかかっていたか、それとも少し泳げそうだったか」

市之助が考えて、いった。

「少し泳げるように思います……」

まるっきり泳げない者は助けようとする者にしがみついて、泳げなくしてしまうものだが、彦兵衛はそんなことはなく、市之助が帯を摑んで泳ぐのを決して妨げるふうはなかったという。

「お前はたいした男だよ。今にきっといい商人になれるぞ」

東吾は笑って、嘉助とお吉を呼び、市之助に飯を食べさせて、暫く、ここへおくようにいいつけた。無論、山崎屋には市之助が「かわせみ」にいることは内緒である。

市之助のことで、「かわせみ」の連中は東吾と畝源三郎が、山崎屋に対してなにかを仕掛けたとわかって、逆に誰もそのことに触れなくなった。こういう時、八丁堀の飯を食った者ばかりだから、足並みはそろっている。

翌日、治助の遺体は彦兵衛が新吉に付き添って骨にした。

夕方、畝源三郎が「かわせみ」へ来た。

「新吉が暇をとりました」

五十両は無論、彦兵衛に返し、無一文で骨箱を抱いて山崎屋を出て行ったという。

「手前が途中で声をかけまして、番屋へ連れて行くという形に致しました」

山崎屋へは清六のところの若い衆が行って、新吉は主家横領の心があったとして、島送りになるのではないかと、彦兵衛に伝えさせた。

彦兵衛が家を出たと、清六が知らせて来たのは、夜五ツになってからである。

「若い者が尾けて居ります」

清六はしたり顔だったが、畝源三郎も東吾も足を向ける先はもうきまっていた。

本湊町の松田元右衛門の家である。尾行した若いお手先が待っていて、彦兵衛は少し前に、ここへ入って行ったという。家の中で争いが起ったのは間もなくで、女の悲鳴がきこえ、ものの倒れる音がして、源三郎と清六がとび込んだ。

元右衛門と彦兵衛、並びに、元右衛門の妹と称するおすがという女は番屋へ連行され、畝源三郎の取調べに、まず元右衛門が口を割った。

「彦兵衛は山崎屋に養子に来たものの、金は忠義者の番頭が管理しているし、財産はお小夜の名義で親類方があずかっていて、どうにもならない。そこへお小夜と新吉が恋仲だったという噂が耳に入った。彦兵衛は多分治助や新吉が商売で外へ出ている間に、新吉の荷物を探してみて、例の恋文をみつけたのだろう」

普通なら、ここでお小夜なり新吉なりを問いつめるところだが、彦兵衛はそれをしなかった。養子の遠慮でもあり、ひがみでもあったのか、むしろ、これをきっかけに彦兵衛は山崎屋を自由にする方法を考えた。

「邪魔者はお小夜に、治助に新吉だ。小細工の好きな男だから、まず自分がねらわれているという設定からはじめたんだ」

味噌汁にねずみとりを入れたり、元右衛門を使って川へ突き落させたりした。

「彦兵衛を突き落したのは、元右衛門ですか」

東吾がうなずいた。

「元右衛門は金欲しさに引受けた。ところがうまくことが運んだのに、彦兵衛が約束の金を払わない。実は源さんがお小夜の罪状が決定するまでという理由で山崎屋の金を差し押えたんだ。仕方なく、彦兵衛はおすがに逢いたさに手ぶらで出かけて、元右衛門と口論になった」

おすがというのは、元右衛門の女で妹と称しては、男をひっかけて金蔓《かねづる》にしていたので、彦兵衛も療治に通っている中に、おすがといい仲になり、帳簿をごま化して金をみついでいた。それを治助にみつかったのが、彦兵衛に決心をさせた。

「あの夜、彦兵衛は療治に行くと偽って、適当にひき返し、庭に例の楓の大枝の細工をしたんだ。それから、雨戸を叩いてお小夜をおびき出して首をしめて仮死状態にし、更に治助へ声をかけて廊下から庭へ出し、あとは俺がお小夜を下手人にして話した通りのやり方で殺したんだ」

彦兵衛の智恵者なのは、お小夜を殺さずに治助殺しの下手人に追い込んで行った手ぎわで、

「その智恵者も女にかけちゃだらしがないな。おすがみたいなあばずれに手玉にとられるんだから……」

なんのかんのとるいのところに居すわって、その夜も節句の菖蒲湯を浴びて、夜明け近くまでるいと喋っていた東吾が不意に黙った。

「おい、ほととぎすが啼いているぞ」

静寂を破って、一声、二声、鋭い鳥の声が尾をひいて。

大川端は、まだ夜が深かった。

七夕《たなばた》の客《きやく》

一

「この夏で、ちょうど五年目になるんです」

軒に簾を下し、障子を簾戸《すど》に替えて、すっかり夏仕度になった大川端の宿「かわせみ」で、るいが華やいだ声をたてた。

珍しく、あかるい中から神林東吾がやって来るのは、このところ、八丁堀の道場の代稽古を引き受けて早朝から午すぎまで、思う存分、汗をかいて、その汗を「かわせみ」の風呂で流して、るいのお酌で一杯飲むのが、なによりの暑気払いになるらしい。

「俺も年だな。少し前までは仲間とわあわあ騒ぎながら飲む酒が、けっこう面白かったが、この頃は、こうやってさしむかいでしんみり飲むほうが旨くなったんだ」

そんなことをいわれると、るいは嬉しくもあり、又、年上の女房を持った男は、若い

中から変に老成してしまうものだなどと世間話にきいたのが思い出されて、

「よして下さいよ、そんな年寄くさいこと。あたしがやきもちを焼くから、東吾様がおつき合いの不義理をなさると、畝様あたりに思われたら、いやですもの。どこへでも、お出かけ遊ばして、せいぜい、おもてになって下さいまし」

心にもない悪態をついたりする。

なんにしても、東吾が連日「かわせみ」に顔をみせていると、るいは勿論、番頭の嘉助や女中頭のお吉までが威勢よくなって、店全体に活気が満ちて来る。

「おかげさまで、なんとか五年になりましたから御常連のお客様にせめて手拭一筋、扇の一本も差し上げたいものだと思って、番頭さんと古い宿帳を調べてみたんですよ」

八丁堀の役人だった父親が急死してから、思うところがあって、るいが大川端で宿屋稼業をはじめた時、東吾は、たまたま、兄嫁の父の公務出張のお供をして長崎へ行っていたから、「かわせみ」開業当時のてんやわんやは知らないが、世間知らずの若い女が、素人宿屋をここまでにするには、人にいえない苦労があったのは、大方、気がついている。

それだけに、無事に五年目を迎えたるいの喜びもよくわかる。

「かわせみが五年目ってことは、るいと俺の仲は四年半か、気がつかない中に、随分、古女房になってたもんだ」

憎まれ口を叩きながら、東吾が苦笑したのは、翌年の正月に長崎から帰って来て、るいのことをきき、ここへとんで来た夜に、他人でなくなった時を、るいも亦、思い出しているらしいのをみてとったからでもある。

「意地悪、年齢のことばっかり、おっしゃって……」

るいが真顔になったので、東吾はるいの膝の上の宿帳を手にとった。

「こうやってみると、いろんな人間が泊ってるんだろうな」

一度っきりのお客もあれば、江戸へ来る度に必ず泊って行く客もある。その中の何人かとは、東吾も彼らが「かわせみ」で事件を起す度にかかわり合いを持った。

「ねえ、お嬢さん、あのお話、東吾様になさいました」

酒の肴《さかな》を運んで来たお吉が、東吾のみている宿帳に気がついていった。

「なんだ、なにか面白い話があるのか」

少々、すねたるいの気分転換には、お吉のお喋りが一番なのを、東吾は心得ている。

お吉は調子よく、東吾の誘導尋問にひっかかった。

「宿帳のお客様を調べていましてね、とても、面白いっていっちゃいけませんが……不思議なお客様があるのに気がついたんですよ」

五年目を記念して、何度も泊って下さるお客に、なにか心ばかりのものを贈りたいというるいの発想で、はじめて、客の名簿のようなものを作ってみた。

泊った客の名をイロハ順に書き出して、その下に、泊った年月日を並べて行くと、

「年に一度、必ず同じ日にお泊りになるお客様が二組あったんですよ。毎年、毎年、同

月同日で、しかも一日こっきり……」

「七夕みたいだな」

うっかり、東吾が乗った。

「それが、七月七日なんです。しかも、お一組は女のお客様、もう一組は男のお客様
……どちらもお一人なんですよ」

「まさか、牽牛《けんぎゅう》と織女《しょくじょ》が、かわせみで逢曳してるわけじゃないだろう」

お吉がきょとんとし、るいが笑った。

「番頭さんの話でわかったんですけどね、そのお客様、どちらもお発ちになる時に、来年の七月七日のお泊りをおきめになっていらっしゃるんですって……」

「鬼が笑いすぎて、腹を痛くするんじゃないのか」

東吾はひたすらまぜっかえす。

「おまけに、お部屋は別々ですけど、きまって向い合せのお部屋にって……」

つまり、「かわせみ」では二階の奥に廊下を中にして梅の間と松の間が向い合っている。その松の間を男のほうが、梅の間を女のほうが、来年七月七日の予約をして行くというのだ。

「随分、きざなことをするじゃないか、どうせ、わけありの二人なんだろうが……」

どっちみち、許されない恋人同士と東吾は考えた。

「そういう仲じゃないんです。女の人のほうが、ずっと年上ですし……」

るいが口ごもり、

「男と女の仲に、年上もへったくれもないさ」

東吾が笑った。

「でも、違いすぎるんですよ」

お吉がまともに受けた。

「そりゃ、恋人っていってもいいようなお二人なんですよ、女の方がお年より、ずっとお若くみえますんでね、でも、もう四十なんです。男のほうは今年、二十です」

宿帳の客の年齢をお吉もるいもそらんじているのをみても、「かわせみ」で、この二人の客のことは、かなり話題になっているらしい。

「それに、お二人は多分、知り合いだろうって、みんながいうんですけども、女中もあたし達も、そのお二人が互いに口をきいたり、挨拶したりするのをみたことがないんです」

「人目をはばかる仲なら、そうだろう、どうせ、夜更けて、お前達が鼻提灯を出して寝言をいってる時分に、どっちかが、どっちかの部屋へお忍びさ」

「そんな仲じゃありませんてば……」

るいがむきになった。

「るいらしくもないな。親子ほど年の違う色恋は珍しくもないんだ」

東吾がさもわかったような口をきき、るいとお吉は顔を見合せた。

「東吾様のお言葉ですけども、そりゃ品のいい奥様なんです」

るいにうながされて、お吉が一膝、乗りだした。

「へえ、女は亭主持ちか」

「鉄漿《かね》をつけて、眉《まゆ》を剃っていらっしゃるんです。男のほうだって、人品骨柄《じんぴんこつがら》、卑しくない立派なお方です」

遂に、東吾が笑い出した。

「お前達はよくよくおめでたいよ。眉を落してお歯黒をつけた四十女と二十になった若造が向い合せの部屋に泊って、人品骨柄卑しくないなら、どうだってんだ、出逢い頭に顔突き合せても、そっぽをむいて行ったって、あやしくないとはきめられないぜ」

「いえ、そっぽはむきませんよ。あたしは一度、お膳を運んでて、両方の部屋からお二人が同時に出て来るところをみたことがあるんですけどね。ふっと足をとめて、そりゃ、なんともいえない表情で、僅かの間ですけど、みつめ合ったんです」

「それでも、なんでもないってのかい」

「なんですか、色恋って感じがしないんです。嘉助さんもそういってます」

「よっぽど、二人共、神々しい顔をしてるんだな」

「だって……」

るいが口惜しそうにいった。

「五年前、はじめて、そのお客様がみえた時、男のほうは十五歳ですよ」

「それが、どうした、十五にもなりゃあ男はとっくに一人前さ」

口ではいったが、東吾もそのことは考えていた。はじめて、この宿へ二人が来た時、男は十五、女は三十五。

盃をおいて、東吾は宿帳を繰った。五年前の七月七日、梅の間のほうの泊り客は、小田原森田屋長左衛門家内、柳。

「お柳さんと……」

松の間が、木更津在、新吉。

「女の方《かた》のほうは知りませんけど、番頭さんは、男の人はそんなに遠くから旅をして来たようではないって……草鞋《わらじ》も新しいし、埃にもなっていないんですって、だから、宿帳の名前はどちらも偽名じゃないかって」

「流石《さすが》、八丁堀だな、ついでに、二人を尾行してみたら、素性なんぞ、すぐわかるだろう」

「まさか……お客商売してて……こうやって宿帳をみて、あれこれいうのだって、本当は申しわけないことですのに……」

るいは、やはり心得ていて、慌てて宿帳をしまった。

二

なんにしても、七月七日はもうすぐであった。

「かわせみ」の奉公人達が、七夕の、その客を意識して待っているように、東吾も、なんとなしに気になった。

二十歳も年の違う男女が、七夕の夜に同じ宿の向い合せの部屋に泊って、口もきかず、黙って、出逢い頭にみつめ合うなどというのは、どう考えても芝居じみている。

どんな女と男が現われるのか、東吾にしても楽しみだった。

八丁堀の道場で稽古の間の一服の時、東吾は、その話を畝源三郎にした。

「そりゃ、色恋じゃないかも知れませんな」

源三郎は存外、真面目な顔でいった。

「そうかな」

「嘉助やお吉がいうなら、まず間違いはないでしょう。伊達や酔狂で五年も宿屋商売しているわけではありませんからね。餅は餅屋で、案外、みるところはみているものです」

茫洋としているようにみえるが、八丁堀の定廻り同心の中では、定評のある畝源三郎が、そういうので、東吾も逆らい切れない。

「色恋でないとすると、なんだろう」

「それがわかれば、苦労はありませんがね」

まあ、七夕の日に、「かわせみ」へ行って、それとなく二人の客をみてごらんなさい、という。勿論、東吾もそのつもりであった。

その七夕が明日という日、奉行所へ出仕する兄を玄関まで送って出ると、

「東吾、お前、今日は暇か」

通之進が微笑していう。

「はあ暇です」

問われるまでもなく、次男坊の冷飯食いだから、道場の代稽古を頼まれるか、「かわせみ」へ行く以外には、暇をもて余すような毎日である。

「霊巌島の岩竹まで行ってくれないか」

出入りの植木屋に七夕の竹を頼んであるのだが、植木屋の岩吉という親仁《おやじ》が足を痛めて寝込んでいるらしい。変り者の植木屋で若い衆はおいていないから、

「明日になれば、当人が無理をしてかついでくるに違いない。それでは気の毒……今日の中に、お前が行ってもらって来てくれ」

「あなた、そのようなことを東吾様に……女達をやりましょう」

兄嫁の香苗が慌てて制したが、

「いや、女では無理だ。馬鹿力のいる仕事は東吾にさせるのがよい。力が余ると、ろくなところに使わぬからな」

兄は笑って出て行った。

この兄に用を命じられることは、東吾にとって嬉しかった。どちらかというと温厚で、もの静かな兄が、東吾にだけは昔のままの口の悪さで、それが兄の愛情と、誰よりもわかっている東吾でもあった。

今日中にといわれたのを、少しでも早いほうが、律義な植木屋によけいな苦労をさせずにすむと、東吾は、はやばやと屋敷を出た。

　梅雨が上ってから晴天続きで、日中は暑いが、夕立の日が多く、ひとしきり降ったあとは、かなりしのぎよい夜になる。雲を眺めて、東吾は今日も一雨来そうな、と思った。今夜はいくら降ってもかまわないが、明日の夜、降ると彦星と織女の逢瀬がかなわないという。伝説はともあれ、なんとなく降らずにいてもらいたいような、その時の東吾の気分であった。

　八丁堀から亀島川岸通りへ出て、霊巌橋を渡る。

　東吾にとっては通い馴れた道であった。大川端の「かわせみ」は、このまま、まっすぐに行って豊海橋ぎわを折れればよい。

　うっかり歩いていると、足が自然にそっちへむきそうになって、東吾は慌てて道をまがった。

　植木屋、岩竹の家は霊巌島町にある。

　着いてみると、兄が案じた通り、岩吉は起きて身ごしらえをしていた。これから竹を屋敷まで届けるつもりだったらしいのは、庭先に頃合の七夕の竹が、枝をととのえて、運ぶばかりになっているのをみてもわかる。

「申しわけございません、若様にそんなことをおさせ申しちゃ……」

　岩吉は頑強に辞退したが、こういう時の東吾は、老人をあやすのがうまい。

岩吉は一人暮しだった。器用に茶を淹《い》れて、東吾は喜んで飲んだ。

「竹をお届けすることもですが、本当をいうと寝ちゃいられねえんです」

気さくな東吾に誘われて、岩吉は頑固そうな口許に苛立《いらだ》ちをみせた。

「若い連中に、まかせておけねえことがありまして……」

もう、なかば隠居という形になっているが、岩吉はお上から手札をもらっている岡っ引でもある。

この頃は、気ばかりあせっても体がきかないから、もっぱら町内の相談役というか、もめごとの取締りをしているらしい。

「なにか、あるのか。このあたりは裕福な店がそろっていて、おっとりした町家のようにみえるが……」

東吾が歩いて来た道でも、蠟燭問屋、藤田安右衛門、藍玉問屋、野上屋加右衛門、下り酒問屋、大和屋又右衛門と大きな問屋が軒を並べている。

「もめごとは貧乏人のほうがらくなもんですよ。若様の前ですが、なまじ、金持の家ほど厄介なものはありませんや。金のため、暖簾のためには、人の心をふみにじって生きなけりゃならねえこともございます。そういう時には、つくづく俺っちは貧乏人に生まれてよかったと思ったりするものでさあ」

岩吉は歯の欠けた口で笑ったが、声には笑い切れないものを持っている。

「早くから親に別れた金持の若旦那なんてのは、親類にも気が許せない。親の代からの奉公人はもう一つ、始末が悪いんでさあ。商いのことは旦那よりもくわしいし、力もある。旦那が若けりゃ、図に乗って、主人を主人とも思わないで勝手な商いを致します。主人が馬鹿なら、それっきりだが、なまじ、しっかりしていると、だんだん商売がわかって来て、古い奉公人のやっていることが眼に余ってくる。奉公人のほうは旦那がけむったい……こういう時が、なにかとむずかしゅうございます。なにかが起りやすいのもこういうときで……」

「どこの店の話なんだ」

「へえ、お話しついでに申し上げますが、この先の下り酒問屋で三善屋という大店がございます」

主人は早くに親をなくして、番頭が店のきりもりをして来たが、

「その番頭に、ちょいといやな噂がありまして……なにしろ、ここ数年、金づかいが急に荒くなりまして、小耳にはさんだところじゃ、吉原のお職を身請けして、どこかに囲っているそうで……」

「主人は、ぼんやりか、しっかりか」

「どっちかっていうと、しっかりのほうで」

「いくつだ」

「二十《ちょうど》になりましたようで、ちっと早いが、親類から嫁の話も起っていますそうです」

「成程……」

「若い連中に、番頭を探らせて居りますが、ああいう大店ですと、若い奴らじゃ、なかなか手が出ません」

岡っ引やお手先の、その下で働く若い連中のこづかい稼ぎは、縄ばり内の商家から、時折、きまって渡される銭であった。一度にそれほど多くはないが、月々、きまって入る銭だし、なにかがあれば、それなりに又、増える。銭をもらっていると、岡っ引のほうにも弱味が出来て、むこうが困った時は頼まれるが、こっちが必要なことをきき出そうとしても、なかなか埒《らち》があかないのが当然であった。

「ま、なんとか、ここ一日二日で起きたいと思ってます」

不自由な足腰で、岩吉が、竹をかついで帰って行く東吾を見送った。

岩吉の話をきいたせいで、東吾は歩きながら、両側の店に眼をこらしていた。

下り酒問屋三善屋は店を大きくあけはなして、小僧が店先に水をまいている。

如何にも老舗らしい、どっしりした店がまえだが、どこかに冷たさがあるのは、主人がまだ若くて、奥に女っ気がないせいだろうか。東吾が店の前を通りすぎた時、店から男が一人、出て来た。四十五、六だろうか、小僧から叩き上げたという感じの如才のない男で、水をまいていた小僧が、

「いってらっしゃいまし」

かなり、丁寧に会釈をしたところをみると、番頭でもあろうか。

東吾を追い越して、富島町へむかって一の橋を渡った。

竹をかついで、東吾も一の橋を渡る。どっちかというと八丁堀へ帰るには遠回りだが、富島町から川口町を抜けて亀島橋を渡っても屋敷まで、それほどの距離ではない。

三善屋から出て来た番頭風の男は、わきめもふらずに歩いて、やがて亀島橋の袂まで来た。

この辺り、町家が切れて、空地が目立つ。橋の袂には、この前、橋を修理した時に使った木材や石がそのままになっていた。そこに、男が一人、待っていた。

かなり、はなれて、東吾はさりげなく川口町の川っぷちに足をとめた。竹を下して、汗を拭く。暑い盛りだけに、東吾の動作は自然だった。

故意に、橋のほうをみないふりでいると、番頭風の男が待っていた男に近づいた。あたりを気にしながら、二言三言、懐中に手を入れると、かなり重たげにみえる財布を、財布ごと、男の手に渡す。そして、又、二言三言。東吾のいるところからは声もきこえない。

やがて、番頭風のほうが後もどりして来た。

東吾のわきを通って、出て来た店のほうへ帰ってくる。してみると、番頭がこの暑い時刻に店を抜け出して来たのは、待っていた男との約束のためとみえた。

うまい時刻を考えたものだと東吾は苦笑した。この暑さでは、日中のほうが人通りが少ない。川っぷちなぞは、むしろ日が暮れてから夕涼みの人出が予想された。

竹をかつぎ直して、東吾は、亀島橋を渡った。それが屋敷へ帰る道順だが、目の前を、さっき、橋の袂で金を受け取った男が歩いている。風体から、やくざだとはっきりわかった。

やくざとか、ごろつきとか呼ばれる男達は、どうして一目でそれとわかる風体をしているのかと東吾は考える。一見して、身分がわからないと、彼らの場合、商売になりにくいのかも知れなかった。

八丁堀を右にみて、男は松平越中守の屋敷のほうへ歩いて行く。東吾はちょっと考えた。

竹をかついで、いつまでも尾行するのは、いささか厄介である。

「神林の若様……」

声をかけられて、ふりむくと、深川の長助親分の下っ引で、仁吉という若いのが、顔中を汗にして立っている。奉行所へ、長助の使いで来て帰るところだという。

「暑いところをすまないが、一つ、たのまれてくれないか」

今の男を尾行して、なんでもわかったことを知らせてくれないかという東吾の頼みを、仁吉は張り切って引き受けた。

「まかしておいておくんなさい」

東吾が立ち止ってみていると、流石に商売柄、上手な尾《つ》け方をして、男の後を追って行く。

竹を奥庭へ運び、井戸端へ行って汗を流していると、手拭を持って香苗が出て来た。

「どこへいらしていたの、お帰りが遅いので心配しました」

目と鼻の先の植木屋へ行って、竹をもらって帰るのに、二刻あまりかかっている。

「岩吉と話し込んでいたのです。ご心配をかけて申しわけありません」

「とんでもない、暑いのに御苦労さまでした」

兄嫁が近づいて、東吾の背中を拭き出したので、東吾は慌てた。かすかに化粧の香がして、るいとは違った女のあでやかさがある。

東吾は早々に井戸端から自分の部屋へ逃げ出した。

兄の通之進とは一まわり以上も年が違うから、香苗がこの家に嫁に来た時、東吾は十歳かそこらであった。香苗のほうも、そんな義弟を子供として扱い、面倒をみて来たから、東吾が青年になった今も、その頃の感覚で世話を焼く。或る意味で、母を感じさせる兄嫁だが、やはり照れくささは否めない。東吾がるいという女体を知ってしまってからは尚更であった。そんな男の変化は、無論、香苗にはわからない。

夜になって、

「畝様がおみえですよ」

香苗が自分で取り次いでくれた。

畝源三郎のあとから、汗と埃でまっ黒になった仁吉が神妙についてくる。

「女郎蜘蛛の松を仁吉に尾けさせた理由は、なんですか」

いきなりいわれて、東吾は面くらった。

「名うての悪です。このところ、金まわりがよくて、派手な悪事を働いていませんが……」

「そんな奴だったのか」

「若様……」

仁吉は興奮していた。

「あれから、あいつ、どこへ行ったと思います。品川の女郎屋ですぜ」

香苗が下婢に手伝わせて、酒と、気のきいた肴を運んで来て、仁吉はいよいよ小さくなった。

「きれいな奥方様ですね」

後姿を見送って小さな声でいう。

「品川の白粉《おしろい》くせえすべたとは、品ってものが違いますさあ」

それで話が前へ戻った。

女郎蜘蛛の松と呼ばれる、松吉は品川の女郎屋で角丸という、あまり上等ではない店に上り、仁吉をやきもきさせたが、そこを二刻ばかりで出て来た。

「尾けてる相手が女を買ってる間中、待ってるってのは忌々《いまいま》しいものですよ」

それから、又、尾けて、品川から日本橋へ、

「野郎の巣は、本所の猫婆長屋でした」

「女郎蜘蛛……」

そこまで見届けて、八丁堀へ戻って来たが、

「どうも、お屋敷に入りにくくて……畝の旦那にお手数をかけました」

「そりゃ、すまなかったな、おかげで役に立った……」

兄嫁から二、三日前にもらったこづかいの中から一分銀をひねって、東吾は仁吉にもたせた。

「いったい、なんです」

湯呑みに注いでもらった酒を押し頂いて飲み干した仁吉が帰ったあと、源三郎が東吾を眺めた。

「品川ってのが、気に入らねえな」

ざっと、岩吉にきいた話から、三善屋の番頭が女郎蜘蛛の松に金を渡したいきさつを話して、東吾は別にいった。

「仁吉の話じゃ、松吉の巣は本所だという。だったら、なにも、わざわざ品川まで女郎買いに出かけるまでもない。深川にだって、浅草にだって、面白いところはいくらもある」

「品川に、なじみの女がいるんじゃありませんか」

「それにしちゃ、泊らずに帰るってのが平仄《ひょうそく》が合わないと思わないか。金が入って、なじみの女に逢いに行ったんだ。せめて夜更けまで、ゆっくりするのが人情だろう」

「夜、なにか用事があるってことですか」

「それか、品川へ行ったのは、別の用か」

源三郎が立ち上った。

「ともかくも、松吉に見張りをつけましょう」

「御役目とはいいながら、御苦労な話だな」

「事件が起ってからでは、間に合いません」

降りそうで降らない、むし暑い夜であった。

三

暑さで寝苦しい一夜が、あけ方から急に冷えたのは、雨が降り出したからであった。

最初は夕立を思わせる豪雨だったのが、朝になると本格的な降りになり、雲は厚く垂れこめて、午後になっても晴れそうにない。

「七夕は雨ですな」

香苗が縁側で、昨日、東吾がかついで来た竹に、短冊《たんざく》を結びつけているのをみながら、東吾はそんな挨拶をして屋敷を抜け出した。

大川端へ行くには、時刻が早すぎるし、昨日のひっかかりもあって、東吾は深川の長助がやっている蕎麦屋へ顔を出した。

ちょうど、仁吉が釜場にいて、若い連中が交替で見張っているが、まだ、女郎蜘蛛の松吉は動き出さないという。

「野郎、昨夜っから、寝っぱなしでさあ。よっぽど、品川で根《こん》をつめやがったんですかね」

仁吉はそんなふうにいったが、外から帰って来た長助の女房の話は意外であった。

「うちの人は、畝の旦那のお供をして、品川まで、出かけました。ええ、つい、さっきですけど……」

「この雨の中を、源さんも行ったのか」

「はい」

それ以上は女房も知らないし、仁吉もきいていない。

深川を出て、大川端へ戻りながら、いよいよおかしいと、東吾は考え込んだ。松吉が三善屋の番頭から金をもらって品川へ行ったのを、もし、品川に馴染の妓がいるためとしたら、二刻ばかりで慌しく深川へひき返したわけがわからない。昨夜から松吉が今まで家でごろごろしているということは、さし当って昨夜、深川へひき返さねばならなかった急用はないと思わねばなるまい。

とすると、松吉が品川へ行ったのは、馴染の女を買いに行ったのではなく、品川になにか用事があって、わざわざ出かけたのだ。

松吉はなんの用で、誰に逢いに行ったのか、その見当がついて、畝源三郎は雨中、品川まで出かけて行ったに違いない。

そうなると、どうしても、松吉に金を渡した三善屋の番頭がひっかかってくる。

大川端を横眼にみて、東吾は岩吉の家まで行った。

岩吉は、起きていた。が、今日のような雨の日が、一番、具合が悪いらしい。

「どうも、三善屋が気になってね」

そんな言い方で、東吾は岩吉に訪ねた。

「三善屋について、知ってることがあったらなんでも教えてくれないか」

たとえば、三善屋の今の主人は早くに親に死なれたというが、いったい、いくつの時に、父親はなんの病気で、と東吾が切り出して、岩吉がしっかりした調子で話した。

「三善屋の先代は、今の旦那の新兵衛さんが十歳の時に歿《なくな》りました。もともと、体が丈夫ではなく、医者の話では腹の中に、できものが出来たのが原因だそうです」

女房はお柳といって、後家になったのは三十になったばかりの年齢である。

「そりゃあ、きれいな人でして、実家は能役者の家だそうですが、子供の時分に松浦伊勢守様のお屋敷に御奉公に上っていたこともあるとかで、品のいいお内儀さんでした」

「そのお内儀さんも、病死したのか」

「いえ、お内儀さんは、再縁したんでございますよ」

岩吉が声を落した。

「昨日、おみえになった時、金持は金のため、暖簾のために、心にもねえ生き方をするって話を致しましたのは、実は、そのお内儀さんのことがあったからで……」

不幸は重なるものだというが、先代が歿った年に、三善屋では蔵の酒が腐るという不祥事が起った。

「どうして、酒が腐るのか、手前は素人でよく存じませんが、人にきいた話では、うっかり、夏場に蔵の戸をしめ忘れたりしますと、温気《うんき》が内に入って、酒をくさらしたりするそうで……その年の夏は又、滅法界に暑うございました」

酒問屋の酒が腐ったとなると、商売にも差し支えるが、それ以上に評判が怖い。蔵の酒が腐ったらしいと噂になって流れただけで、取引は止るし、信用もなくしてしまう。

「三善屋では、夜更けに腐った酒を海へ運んで、残らず捨て、他へ手を廻して、酒を仕入れ、なんとか世間へ洩れずにすましたんでございますが、その時に、かなり大きな金を、遠い親類に当る、小田原の材木問屋が用立てました。これが、後家になったお柳さんに下心があってのことで……まあ、どういうやりとりがあったのか存じませんが、お柳さんは、その年の秋に三善屋から暇をとり、実家へ帰って、改めて、次の年に小田原へ縁づいたそうです」

勿論、三善屋とは縁を切って出て行ったのだから、息子の新兵衛はそのまま、三善屋へ残り、母子の縁は、それっきり切れた。

「歿った先代の身内が、一周忌もすまない中に、再縁したってんで、大層、立腹して、お柳さんに生涯、悴とは縁が切れたのだから、口もきいてくれるな、逢いもしてはならんといったそうで、そんなことをいう奴に限って、酒が腐って三善屋が生きるか死ぬかの大事の時は知らん顔の半兵衛、なんにもしてくれるわけじゃありません。人間ってのは、全く得手勝手で……」

岩吉は、ほろ苦く笑った。

「三善屋の当主は、今、二十歳だといったな……」

一度に父親と母親を、別な形で失った時が十歳だったから、それからもう十年が経っている。

「ずっと、母親には逢っていないのか」

「逢えますまい。江戸と小田原でございますし、周囲の石頭が逢わせも致しますまい」

「三善屋の主人、新兵衛というのは、まだ、妻帯していないといったな」

「はい」

「兄弟は……」

「ございません、一人息子で……」

昨日、ここの帰りに東吾がみた話をすると岩吉は蒼くなった。

「そいつは気をつけねえと……なにしろ、新兵衛さんにもしものことがあったら、三善屋の身代は宙に浮きますんで……」

それがつけめの人間は、いくらも考えられると岩吉はいう。

「腰が痛むのにすまないが、ちょっと三善屋まで行ってくれないか、俺が肩を貸そう」

「とんでもねえ、これはあっしの縄張りの仕事で……」

岩吉は足ごしらえをして、傘をさして外へ出た。

「とにかく、新兵衛が店にいるかどうかをきいてくれ、居たら、俺がなんとかごま化すことにしよう」

岩吉が三善屋へ入って行くのを見送って、東吾は、ふと、今日が七夕なことを考えていた。「かわせみ」へ、年に一度、不思議な客の泊る日である。

岩吉は、すぐ出て来た。

「旦那は、木更津のほうへ出かけたそうです。赤ん坊の時から面倒をみてくれたお乳母さんの法事があるそうで……」

「木更津……」

心に閃めいたものがあった。

「かわせみ」の宿帳である。七月七日、松の間、木更津在、新吉。

岩吉を家へ送って、東吾は雨の中を大川端へとんで行った。

こんな天気だから、あたりはいつの間にか暗くなっている。

「折角の七夕なのに、いやな雨ですねえ」

出迎えたお吉に、東吾はいった。

「松の間の客は来てるか」

「ああ、あのお客様ですか。おみえになってますけども……梅の間が、まだなんです」

「なに……」

「いつもは、どちらも暮れ六ツまでにはお着きになりますのに……雨のせいかとおっしやって、松の間のお客様が外へみにいらっしゃいましたよ」

「出かけたのか」

声が大きかったので、嘉助が帳場からとび出して来た。

「どっちへ行ったんだ、新吉は……」

「へえ、川っぷちをぶらぶらと……」

東吾がとび出した。

わあっという男の声がきこえたのはその時である。東吾が走り、嘉助が続いた。

暗い川っぷちで男が二人、組み合い、一人が逃げ、一人が追った。追う男の手に刃物がみえる。

東吾が走りながら叫んだ。

「新兵衛……三善屋新兵衛だな」

追った男が、ぎょっとしたように立ちすくんだ。その男へ、東吾の手から小柄《こづか》がとんだ。

嘉助が年齢に似合わぬすばやさで、倒れた男にとびかかって、ねじ伏せた。

追いついたお吉が提灯をさし出し、東吾は刀の下げ緒をといて、捕縄のかわりに嘉助に渡す。

「やっぱり、女郎蜘蛛だな」

男が、むこうから走って来た。仁吉である。

「旦那……」

息を切らしている。

「こいつに逃げられたんだろう。顔に書いてあるぞ」

「すみません、こん畜生、出しぬきやがって」

見張られているのを知って、松吉は屋根から深川の家をぬけ出したという。

「いったい、なんでございましょう」

気をとり直した新兵衛は、東吾の話をきくと、急に叫び出した。

「おっ母さんが……おっ母さんが危い……」

四

雨の中を品川へむかって出かけた新兵衛と東吾の一行は途中で畝源三郎に逢った。

「品川に、女郎蜘蛛の松吉の仲間がいたのを思い出したんです。猪之松という前科者で、金のためなら人殺しも喜んでひき受けるという奴でしてね。手証がなくて、野放しになっていたんですが……」

昨日、松吉が品川で逢ったのは、その猪之松だというのが、女郎の口からわかった。

「そいつの行方は……」

「わからんのです。松吉と一足違いに女郎屋を出たそうで……」

新兵衛が狂気のようになった。そいつが自分の母親を殺しに行ったに違いないという。

「十五の年から年に一度、わたしはおっ母さんと逢っていました。おっ母さんは昔、御奉公していた松浦の殿様が七夕の催しをなさるお手伝いにあがるのを口実にして、小田原から出て来て……かわせみで逢ったんです」

縁が切れたのだから、口をきいては死んだ夫にすまないといい、母親は決して口をきこうとはしなかった。ただ、一年ごとに成人して行く我が子を涙のたまった眼でみつめるだけだったという。

「お前がかわせみで、母親と逢うのを知っているのは、番頭じゃないのか」

東吾の問いに、新兵衛がうなずいた。

「そうです。番頭の藤七がはからってくれたことなんです。藤七だけが知っています。手前が木更津の新吉と名を変えて、かわせみに泊ることも……」

おそらく、店の金を使い込んでいる藤七が、邪魔になる新兵衛を殺して、店を自由にすることを思いついたに違いなかった。

「かわせみの宿帳が木更津の新吉になっているのが、藤七のつけめだったんだ。殺されても身許がわからない。そのためには、お柳さんも生かしてはおけない」

お柳が生きていれば、新兵衛の身許が割れる。おそらく、松吉が猪之松にたのみ、小田原から江戸へ入る途中を待ち受けて殺害させようとしたか。

夜更けまでの必死の捜査は空しかった。猪之松もお柳も、どこへ消えたのか。

しかし、死んだような新兵衛をなだめすかして、ともかく、「かわせみ」へ戻ってくると、血と泥にまみれた女が、「かわせみ」の土間で、お吉やるいの介抱を受けていた。髪は乱れ、足袋は破れて……。

「おっ母さん……」

新吉がすがりつき、母親は必死に息子を抱きしめた。

「無事でいてくれたのね……無事で……」

猪之松の死体は、お柳のいった通り、鈴ヶ森に近い林の中でみつけられた。

「息子の都合で、かわせみじゃねえところで逢うことになったと騙して、お柳は猪之松に連れ出されたんだ」

殺す時になって、猪之松はお柳に色気を出した。犯されながら、お柳が隙をみて、猪之松の脇差で相手を刺し殺したのは、本能的に息子の危機に気がついたためだった。

「たどりついた時、新兵衛は、新兵衛はって……いくら大丈夫といっても承知しなかったんですよ」

るいが涙ぐんだ。息子を想って、母親は鈴ヶ森から大川端まで死にもの狂いで夜の道を歩いて来た。

「心配することは、なにもない。猪之松のことは手前がよいようにします」

源三郎がひき受けて、七夕の夜は雨のまま、明けた。無論、三善屋の番頭はその夜の中にお召捕りになっている。

七月八日、「かわせみ」の帳場に母と子が立った。

「長いこと、御厄介をおかけしましたが、もう二度と参れないと存じますので、来年のお宿はおとりおき願わなくて結構でございます」

泣き腫れた眼で、しかし、さわやかにお柳がいう。

「実は主人が卒中で倒れまして……養生の甲斐あって命はとりとめましたが、すっかり気が弱り、生まれ故郷の中津川へ帰って余生を送ることになりました。私もついて参りますので……」

小田原ならまだしも、中津川で、しかも病人を抱えては、

「とても、江戸まで参りかねます。新兵衛とも、昨夜はしみじみ話を致しましたし、もう心残りはございません」

母親の手がのびて、息子の涙を拭いた。

「どうぞ、この子の力になってやって下さいまし、子を思う母の心を不愍《ふびん》とお思い下さるなら……どうか、話し相手になってやって頂きとう存じます」

手を合せる母親の髪に、ぼつぼつ白いものが目立ちはじめている。

せめて品川まで送って行くという息子の手を握りしめて、やっと晴れた江戸の空の下を初老の母は旅立って行った。

今日も、初秋の陽は強い。

王子《おうじ》の滝《たき》

一

油蟬《あぶらぜみ》の鳴く声が、むっと暑さの輪をひろげて行くような午後のことである。

神林東吾が、「かわせみ」の玄関を入って来た時、るいは帳場で宿帳を眺めていた。

「随分、お早いですね」

いそいそと立ちかけて、ぎょっとしたのは東吾の背後に、若い女が寄り添っていたためである。

眉《まゆ》を落し、お歯黒を染めているから、間違いなく人妻で、髪形や着物の好みからすると武家ではなさそうであった。年齢は、せいぜい二十四、五か、丸顔で体つきに色っぽいものがある。

「すまないが、空いている部屋はないか。この人と少しばかり、話があるんだ」

女連れで入って来ただけでも、るいの心中は穏やかでないのに、東吾はぬけぬけとそんなことをいって、ちらと女をふりむいてみる。

女が応ずるように艶な微笑をみせるのを、嘉助もお吉も、あっけにとられて眺めていた。

「どうぞ……柳の間があいて居りますから……」

落ちつかなければと、心にいいきかせ、るいは、お吉に案内を命じた。

「いいんですか、お嬢さん……」

そのお吉が、二階から戻って来て、茶の仕度をしているるいの顔色をみる。

「なにが……？」

るいはとぼけた。焼餅をやいていると、奉公人達に思われたくない女の意地である。

「だって、あんな女の方をお連れになるなんて……」

「御用の筋じゃございませんか、なにか、取調べの……」

嘉助が助け舟を出した。

東吾がよく捕物にかかわり合いを持つのは、「かわせみ」では周知である。

そうかも知れない、と、るいは思った。

「きっと、間もなく畝の旦那がおみえになりますよ」

いつものように、畝源三郎の手伝いと嘉助はきめて、るいを安心させようとする。

定廻りの旦那と呼ばれている八丁堀の同心の仕事は、自分の持場と決められている江戸の町を廻って歩いて、事件を解決したり、捕物にたずさわったりするものだが、時には馴染になった町の人間から、家庭内のいざこざや相談事を持ちかけられたりする場合も少くない。

殊に、畝源三郎は、町方では面倒見のいいほうである。

源三郎に相談を持ちかけた町家の女房を、たまたま、お役目で手のあかない源三郎の代りに、東吾が話をきいてやっている、というふうに、「かわせみ」では解釈したがっているのに、いくら経っても、源三郎は姿をみせず、柳の間へ入った東吾と女も、それっきり、ひっそりしている。

大事な話の邪魔になってはいけないからと、一度、茶を運んだきり、お吉にも部屋へ近づくことを禁じてしまったが、やがて夕刻である。

るいは、居間で縫い物をひろげたが、まるで手につかなかった。心は、二階の柳の間へ行きっぱなしである。

「お嬢さんどうしましょう、ぼつぼつ、お膳の時刻ですけれど……」

お吉が、浮かない顔で訊きに来た。柳の間へ、夕餉《ゆうげ》の膳を出さなくてよいかという。

「なんのお話か知りませんけど、随分、長くかかるんですね」

るいの気持を代弁するように、口をとがらせる。

「行燈《あんどん》のお仕度もしなけりゃいけないんですけども、なんだか、声をかけにくくって……」

この季節のことで、日の暮れが遅くなってはいるが、それでも、もう、ぼつぼつ灯が入る時刻である。

「東吾様のほうから、お手を鳴らして下さるとよろしいんですけれども……」

薄暗くなりかけた部屋で、東吾が色っぽい人妻と、なにを話し込んでいるのか、とお吉は気を揉んでいる。

「手前が、ちょっとお部屋まで参って、お膳のことをうかがって参りましょう」

いつの間にか、嘉助までが来て、そんなことをいう。

「いいえ、あたしが行きますよ。お膳に、なにか御注文がおありかも知れないし、こういうことは女房の役目……」

すらりといってしまって流石《さすが》にるいは赤くなりながら、二階への梯子段を上って行った。

廊下へ出たところで、あっと思ったのは、ちょうど柳の間の障子があいて、東吾が出て来たからである。続いて、例の女がうつむき加減についてくる。

「お帰りでございますか。只今、お膳の用意をと、思って居りましたのに……」

周章《あわ》てて、るいがいったのに、東吾は軽くうなずいて、

「出直してくる……、厄介をかけたな」

他人行儀な言い方をして、梯子段を下りた。女は、るいに小腰をかがめ、東吾を追って行く。

女の瞼が赤くなって、泣いたような気配なのを、るいはみてとった。胸の中の小波が急に激しくなった感じで、るいは階下へ戻った。

東吾はすでに女と出て行った後で、嘉助とお吉が茫然と玄関に立っている。

二人に顔をみられないようにしながら居間へ入って、るいは必死で、たかぶってくる気持をおさえた。

悋気《りんき》はすまい、と唇を嚙む。晴れて夫婦になったわけではないが、五年越しの仲で、東吾も女房扱いをしてくれるし、自分でもそのつもりであった。今更、東吾が女連れで来たからといって騒ぎ立てることはないのだ。

考えてみれば、あの女と格別な関係でもあれば、東吾は決して「かわせみ」へは伴ってくる筈がなかった。なんということもないから、平気で「かわせみ」の二階を用談の場所に使ったのに違いない。

そんなわかり切ったことを考えるくせに、るいの気持が波立つのは、連れの女の、あまりにあけすけな東吾への態度の所為《せい》であった。

どうみても、東吾に惚れている女の素振なのである。東吾をみる眼も、寄り添い方も、男に対する恋慕の情があふれていた。

どういう女なのか、と、るいは思った。

人妻としたら、大胆なことである。

出直してくるといったのに、その夜、とうとう東吾は「かわせみ」へ来なかった。次の日も音沙汰なしである。

なんでもなく振舞っているが、るいは眠れない夜が続いているし、そんな気持がわかっていて、お吉も嘉助も、いたずらに気を揉むばかりであった。

折も折、例の女が再び「かわせみ」へ来た。

この時も、るいは帳場に居た。出て来たるいをみて、女は会釈をし、懐中から一通の書状らしいものを取り出した。

「まことに恐れ入りますが、これを東吾様にお届け下さいませんでしょうか、お屋敷へはうかがいかねますので……」

「失礼でございますが、どなた様で……」

思い切って、るいは問い返した。女は微笑し、るいの問いを無視した。

「お届け下されば、東吾様にはおわかりになりますので……」

くれぐれもよろしくと押しつけるようにいった。態度も、東吾と一緒の時のしおらしさはなくて、むしろ尊大にかまえている。おそらく、それは意識して、そうしたのではなく、女の普段の生活が自然に身についたもののようであった。この前の時もそうだったが、着ているものも、髪の道具も、ずば抜けて金がかかっている。かなり、裕福な家の女に違いなかった。向い合っていると、威圧されるような権高《けんだか》なものを感じさせる相手である。結局、るいは書状をあずかった。

「すぐにお届け申します」

女は満足そうにうなずいて、「かわせみ」を出て行った。

「人がよすぎますよ、お嬢さんは……」

眺めていたお吉が憤然とした。

「なんですか、こんな手紙を引き受けちゃって……きっと、東吾様への恋文か、呼び出し状か、そんなものですよ」

まさか、とるいは笑ってみせた。

「そんなものをことづけるわけがないじゃないの。野暮用ですよ」

「そうでしょうかねえ」

女の色っぽい眼つきがいけすかないとお吉は忌々《いまいま》しそうであった。

「人にものを頼むのに、なんでしょう、あの横柄なこと……」

かまわず、るいは嘉助を呼んで、東吾へ手紙を持って行かせようとしたのだが、

「番頭さんは、ちょっとそこまでって、お出かけですけど」

若い女中がいう。これは、珍しいことだった。律義な嘉助が行く先もいわず、無断で出かけるということは、かつて無い。

「あたしが行って来ましょうか」

たった今、そんな手紙をあずかって、と苦情をいったくせに、お吉は、るいの気持を察したように豹変する。

「すまないけど、そうしてくれると助かるんだけど……」

まさか、八丁堀の東吾の兄、神林通之進の屋敷へ、るいが自分で出かけて行くのは面《おも》映《は》ゆい。るいと東吾の仲には、薄々、気づいている筈の通之進夫婦が、東吾になにもいわないらしいのが、るいにしてみれば、かえって怖しかった。

「いやですよ。すまないけどなんて、水臭いことおっしゃっちゃ……」

今の中に一走り行って来ますといい、お吉は書状を持ってとび出して行った。

嘉助が戻って来たのは、八丁堀へ行ったお吉が帰って来たのと一足違いぐらいで、

「お許しを頂かず、勝手なことをして申しわけありませんでした……」

先刻の女を尾けて行ったのだという。そうではないかと、るいは推量していた。

「一つには、身許を知りたかったのでございますが、もう一つは……」

女を尾けて来た者があったと嘉助はいう。

「尾けて来たって、あのお方がここへおみえになった時……？」

「そうなんで……間違いございません。おすずさんが蔵前の店へ着くまで、そいつは後を尾けていましたから……」

「蔵前……」

「あの女のお方は、蔵前の札差《ふださし》、大和屋伊平のお内儀さんでございました」

店まで尾けて行って、近所の人に確かめて来たという。

「そんなお人が、どうして東吾様と……」

「そいつはわかりませんが……」

大和屋伊平の女房、おすずは家付娘だと、流石に昔、八丁堀の腕っききの探索方だったたけあって、嘉助は僅かの間に、細かなことまで訊き出して来ていた。

「旦那はお武家から来た御養子だそうで……」

「いったい、なんなんでしょうね。そんな札差のお内儀さんが、ここへ来るのに、人に尾けられていたなんて……」

お吉が口をはさんだ。

「それが……」

嘉助が、ぼんのくぼに手をやった。おすずを尾けて来たのを、更に尾行しようとしたのだが、

「相手に気づかれまして……日本橋の通りで逃げられました……」

尾けていた男は小柄で、木綿の単衣《ひとえ》の尻っぱしょりというだけで、人相、年齢は笠をかむっていたのでわからなかったらしい。

「手前としたことが、とんだどじを致しました……」

お吉のほうは、八丁堀を訪ねて、東吾に手紙を渡して来たといった。

「通之進様が夏風邪でおやすみだそうで、それでお出かけにくいと、おっしゃってました。二、三日中にはおみえになるって、お嬢さんに……」

「かわせみ」に来られなかった理由は、あの女のせいではなかったと、お吉が我がことのように、いそいそと報告した。

だが、その二日後の午近《ひる》く八丁堀の道場で一汗かいている東吾のところへ、畝源三郎が顔を出した。

「東吾さん……」

眼で招かれて、東吾は面だけはずして、道場を出た。玄関わきの小部屋に、源三郎が待っている。

「お稽古中、申しわけありませんが、少々、うかがいたいことが出来まして……」

昨夜、どこに居たかと訊かれて、東吾は変な顔をした。

「なんなんだ、源さん」

「ともかくも、お答えを願いましょう」

「家に居たさ、知っての通り、兄上が風邪だ。夕方、義姉《あね》上の実家から、舅殿が見舞に来られた」

「麻生様ですな」

「おかげで碁の相手をさせられた上で、九ツすぎに老人を本所の屋敷まで送って行って、帰りに大川端へ寄ろうかと思ったが、義姉上が心配するとまずいから、大人しく屋敷へ帰って布団をかぶって寝てしまった」

「道理で今朝の稽古は荒っぽいと思いましたよ」

源三郎が意味のある笑い方をした。

「実は、今、神林様へうかがって、お訊ねしたと同じことを、香苗様に訊いて来たところです」

「なんだと……」

「大川端へお寄りにならず、幸いでした。あっちへ泊って居られると、ちと、厄介なことになるところで……」

冗談口を叩いているようで、源三郎の眼が笑っていない。果して、別にいった。

「大和屋伊平の女房で、おすずという女をご存じですか」

「おすずどのに、なにかあったのか」

「一番、最後にお逢いになったのはいつですか」

「最後……」

「おすずさんは殺されました」

「なに……」

「王子の岩屋弁天と申すところで、今朝方、発見されたそうです」

首をしめられて死んでいたという。東吾は絶句した。ふと、気がつくと、玄関の外に、蔵前界隈を縄張りにしている岡っ引、藤吉の悴で徳松というのが、小さくなっている。

昨日の夕方、王子から大和屋の使いが来て、

「お内儀さんがみえなくなったので、すぐ来てくれといわれまして、親父とあっしと、とび出しました」

むこうへ着いたのが夜で、土地の者が出てあっちこっち捜した後だったが、手がかり

はまでない。

「なにしろ、山ん中でございまして、夜が明けなけりゃどうにも動きがとれませんで……」

夜明けを待って、もう一度、捜しまわったあげく、岩屋弁天の中で死んでいるおすずをみつけたという。

「親父はまだ、むこうに残って居りやすが、とりあえず、畝の旦那のお耳に入れろといわれまして……」

「待ってくれ」

東吾が制した。

「どうして、王子で起った人殺しに畝の旦那がかつぎ出されるんだ」

源三郎が苦笑した。

「大和屋伊平の口から、東吾さんの名が出たそうです」

「やっぱり、そうか」

「このところ、外で逢ったり、手紙のやりとりをしていたそうですな」

「冗談いうな、外で逢ったのは、五日前だ。偶然、外で逢って、どうしてもきいてもらいたいことがある、ひょっとすると命にかかわるというから、仕方なく、かわせみへ連れて行ったんだ。逢ったのはそれ一度、そのあと、おすずどのが手紙をかわせみへ持って来て、お吉が俺のところへ届けに来た。つい三日前だ」

「お安くないですな」

これから王子へ行くつもりだと源三郎はいった。

「よろしかったら、一緒に行きませんか、道々、そもなれそめのいきさつをきかせてもらえると助かるんですがね」

八丁堀の蕎麦屋で腹ごしらえをして、源三郎と東吾は、暑い盛りを王子へ向った。

笠の下から、拭いても拭いても汗が流れる。

「王子へ着くまでの辛抱ですよ。むこうはかなり涼しいそうですから」

源三郎はのんきなことをいっているが、東吾はそれどころではない。

「大和屋伊平は、俺を疑っているのか」

「そういうわけでもないでしょう。まず、やきもちですかな。自分の女房が、昔、惚れた男と最近になって、よりが戻ったのではないか。そういえば、おすずさんの両親が生きている時分、東吾さんを大和屋の養子に欲しいと話があったそうですな」

「八年も前の話なんだ」

東吾はやけくそで汗をこすった。どこでおすずが東吾を見染めたのか、大和屋から人を介して、養子にという話があったのは事実だが、兄の通之進が一言のもとに断ってしまった。

「弟は、どこへも養子にやるつもりはありませんので……」

というのが、通之進の変らぬ態度で、東吾のほうは、どこから縁談があっても関心がなく、おすずの場合も、すでに身近に、るいという存在があったから、まるで、その気はなかった。

「おすずさんが養子を迎えたのは、それから一年目で、今の伊平という旦那は、旗本の武部左京どのの弟で、年齢は一まわりも違うそうですが、なかなか、腹の大きい、実直な仁だそうですよ」

ただ、夫婦の間には、一緒になって八年目の今日まで子がない。

「八年目に、ばったり逢って、一体、なんの話をしたんです」

揶揄《やゆ》するように、源三郎が訊く。

「とりとめのない話だ。親が死んでから心細いとか……商売の話とか……」

「札差のお内儀が商売の話をしたのですか」

「家付娘だ。それに、あの人は算盤《そろばん》が立つらしい」

店のきりもりも、決して亭主まかせにせず、一々、帳面をみて、不審な点があれば番頭を呼んで問いただす、といっていたおすずの言葉を東吾は思い出していた。

おすずが、そんなことをいったのは、夫婦になっても、どうしても夫に気が許せないという訴えがきっかけである。

「要するに東吾さん以外の男は、どうしても好きになれないと、かきくどいたわけですな」

源三郎が茶化した。

「手紙は、なんです」

訊かれて、東吾は懐中からとり出した。八丁堀を出る時、屋敷へ寄ってとって来たものだ。

女にしては力強い筆の運びで、妹の安産の祈願に王子権現に参詣方々、近頃、評判の不動の滝に打たれて、頭痛や肩こりを治して来たいと思うから、二、三日、江戸を留守にするが、帰ってから一度、ゆっくりお目にかかって、この前、お話ししそびれたことをきいてもらいたいというようなことが、くどくどと書いてある。

「別に色っぽいものじゃないだろう」

「きいてもらいたいことというのは見当がつきますか」

「いや……」

「かわせみで逢った時、それらしい話は出なかったんですか」

「別に……」

「しかし、命にかかわるというようなことをいったわけでしょう」

「そのことは、かわせみへ行ってから訊いた。はかばかしく答えないんだ。体の調子がよくないようなことで……」

自分を誘う口実だったのかも知れないと東吾はいった。

二

駒込の吉祥寺門前をすぎるあたりから、百姓地が目立ち出した。

田は稲がのびて、案山子《かかし》や鳴子《なるこ》が珍しい。

松平時之助の下屋敷を左手にみるあたりからは杉や松の林がめっきり多くなった。

「遠いな」

流石に、東吾がうんざりした声を出した時、道の傍の茶店から、男が立って来た。

「お待ち申して居りました。たぶん、お出かけ下さると思いまして……」

髪はすっかり白いが、精悍《せいかん》な顔つきの岡っ引、藤吉は熟達したお手先で、畝源三郎から手札をもらって御用をつとめている男である。

「こりゃあ、神林の若様まで……」

笠を脱いだ東吾に恐縮して頭を下げる。

「東吾殿は、昨夜は八丁堀の屋敷に居られた。証人もある……」

源三郎がいうと、藤吉はいよいよ腰をかがめた。

「そいつは当然でございます、手前は決してお疑い申したわけではございません。大和屋の旦那も、別に若様がどうのと申したわけではございませんので……」

ただ、昨日、内儀のおすずの姿がみえなくなってから、伊平が暫く、あまり騒ぎ立てるなと、手代や周囲のものにいったときいて、藤吉がそのわけを訊くと、

「ひょっとすると、おすずはどこかで人に逢っているのかも知れませんので……」

とロごもった。その相手を追及すると、神林東吾の名が出たというのだ。

「この数日、おすずが神林様にお目にかかったり、手紙をことづけたりしている節《ふし》がございます、手前の疑心暗鬼かも知れませんが……」

くれぐれも他へ口外してくれるなと念を押されたのだが、

「ひょっとして、別のところからお耳に入ってもいけないと存じましたので……」

東吾は笑った。

「あいにく、俺は飛鳥山《あすかやま》は、はじめてだ」

桜の季節は江戸から人が押しかけるらしく、料理茶屋が軒を並べている。

石神井川《しゃくじい》が音無川と名を変えて三筋に分れているあたりには、殊に店がまえの立派な店があって、その中の一軒が扇屋であった。

大和屋伊平が、泊っていた宿である。

その伊平は、一足先に、女房の遺体につきそって蔵前へ帰ったという。

「あまり、大さわぎになりましては、店の暖簾《のれん》に傷がつくと申しまして……」

地元へは、その筋に金を包み、人目をはばかるように立ち去った。

「途中で遇《あ》わなかったが……」

「へい、巣鴨村を抜けまして、雑司《ぞうし》ヶ谷《がや》道を行ったようでございます」

江戸の、いわゆる御府内から王子へ来るには、東吾や源三郎が通って来たように、本郷湯島から小石川白山《はくさん》前へ出て、それを駒込片町から吉祥寺門前を通って、富士前町から六義園《りくぎえん》の傍を飛鳥山へ出る、日光街道の御成道を行くのと、白山前から左へ鶏声ヶ窪を通って滝野川村を経て板橋宿へ行く中仙道を行く方法に、もう一つ、板橋中宿を西南に、雑司ヶ谷道へ迂回するのが大方であった。

大和屋伊平が雑司ヶ谷道を行ったのは、それが一番、人目につかないと考えたからに違いない。

「ともかくも、御案内申します」

扇屋で一服する間も惜しく立ち上ったのは、明るい中に、事件のあった王子権現附近を一廻りしたいという東吾の意向であった。

大和屋一行は主人伊平にお内儀のおすず、それに手代の佐吉というのが供をして、早朝、まだ涼しい中に蔵前を発って、正午すぎに扇屋へ入ったという。

その佐吉という手代は、後始末のため、未だ扇屋に残っていたのを藤吉が呼んで東吾達の供をさせた。

「お内儀さんは駕籠で、途中、何度も休息を致しました」

扇屋で遅い午食をすませてから、王子権現へ出かけたのは、おすずの妹で、同じ蔵前の大口屋へ嫁いでいるお菊が、この秋十月が産み月で、その安産の祈願に犬張子と産着を供えて御祈禱をしてもらうためであった。

扇屋の前の道を左折すると川に沿って、やがて左手に王子権現の裏門がみえる。

「本当の参道は滝野川村のほうから、岩屋弁天の近くの橋を渡って参るそうでございますが、扇屋からですと、裏門のほうが近うございます」

藤吉が説明しながら、先に立って王子権現の境内に入った。かなり広く、杉木立が鬱蒼として昼間でも薄暗い。社殿は元亨年中、豊島某が紀州の熊野権現を勧請《かんじょう》したとかで、その後、何度か修復しているらしいが、いわゆる権現造りの立派なものである。

「お内儀さんは、この後、不動滝へ行かれることになって居りまして、手前はここから一度、扇屋へひき返しました」

伊平が祈願の御札を持って歩いて、粗相があってはならないから、扇屋へおいてくるよう命じたという。

佐吉は裏門を通って、今来た道を扇屋へ帰り、伊平夫婦は長い参道を音無川のほうへ行った。

夕暮れのせいか、表参道も人通りは全くなく、ひぐらしの声がうるさいほど響きわたる。

「いつも、こんなに寂しいのか」

東吾が訊いた。

「へえ、七月十三日の祭の日には、かなり人が出るそうですが、普段は不動滝のほうに客をとられているようで……」

かなり歩いて音無川へ出る。橋を渡ると左の道が不動滝のある正受院の不動堂へ向っ

て居り、右へ行くと、

「おすずさんの殺されていた岩屋弁天へ参ります」

東吾と源三郎は、道を右へとった。

岩屋弁天は名の通り、えぐりとった洞窟の中に弁天堂がある。

藤吉が用意して来た提灯に灯をつけた。そうでもしないと暮れて来たこの刻限、中はまるでみえない。

おすずの死体をみつけたのは、近くの金剛寺の僧で、

「手前が知らせをきいてとんでくるまでに大勢が洞の中をふみ荒しまして……」

おすずがここで殺されたのか、他から殺されて運び込まれたのか、足跡や地面の様子で判断は出来なかったと藤吉は残念そうであった。

「うつぶせに、足を入口のほうへむけて倒れていたらしゅうございます」

岩屋弁天へくる道はここで行き止りで、参詣の人以外はまず来ない。

「ごらんのように、昼間でも暗いところでございますし……」

附近に人家は全くないから、ここへ連れて来られたら、少々、声をあげようが、うまく参詣人でも来ない限り、わからない。

弁天堂はこぢんまりした建物で床が高く、格子の扉から覗くと木彫の弁天像が端座している。

「ここは夫婦そろって、お詣りしてはいけないそうで……弁天様がやきもちをやいて、

願いごとがかなわないと申します」

男女で参詣に来た者は、一人がさっきの橋のところで待っていて、一人が洞窟へお詣りにくる。

「信心とは、奇妙なものでございますね」

初老の藤吉はちょっと眉をしかめるようにした。

橋へ戻って、不動堂のほうへ行くと、こちらは成程、人の姿が多い。

ぼつぼつ、日が暮れようという時刻なのに、滝から上って来たばかりの善男善女が唇を紫色にして宿坊へ帰って行く。

「滝に打たれますと、乱心、逆上、頭痛、炎症がけろりと治るとか申しまして、まあ、なかには暑さしのぎの水浴びのつもりで滝にかかる奴も居るようで……」

寺の宿坊に湯治場の座敷のように人がつめかけている。それでも男と女は座敷を別にして、着がえる者、髪を拭く者と、黙々と身仕度に余念もない。

「滝のほうへ参りますか」

不動堂の後の坂を下ると音無川へ出る左手に滝があった。自然のものではなく、箱樋《はこどい》で仕懸けたもので、高さは一丈余り、水勢はかなり強く、滝壺は九尺四方ほどで底に切石が敷いてあり、水抜きの小さな溝があって、滝の水はすぐ川へ流れ込むようになっているが、切石の上へ落下する水が白い霧となってあたりにたちこめ、あたりの岩窟や樹木が白っぽく煙ったようにみえる。

川のむこうは森で、滝の周囲も巨木が多い。

「昼間でもうすら寒うございます」

滝のそばに立っているだけで、鳥肌立つようであった。汗はとっくにひいてしまって、滝の音と蟬の声の中にいると、ここが江戸のはずれとは思えない。どこか深山幽谷へでも分け入ったようだ。

「元気のいいお方は五、六度もかかるようですが、普通はせいぜい四度が限度とかで、手前が参った時は、お内儀さんが二度目に滝にかかりに行かれた後で、主人が不動堂のほうで横になって居りました」

滝には夫婦でかかったらしく、おすずのほうは女だから、かかる時間も短く、一度、宿坊へ戻って一休みし、体をあたためていたらしい。

伊平は遅れて宿坊へ戻って、同じく体をあたためたが、無理して長くかかったせいか、肩のあたりが痛くてたまらない。寒気もするようなので横になっているところへ、扇屋へ帰った佐吉が戻って来た。

「暫く、旦那に熱いお茶をさしあげたりして居りましたが、お内儀さんが心配なので、女のほうの宿坊をみに参りました」

休んでいる人の中に、おすずの姿がないので、滝まで行ってみたが、そこにも見当らない。

「なにしろ、滝のまわりは暗くて、けむって居りまして……」

捜すのに手間どっている中に日が暮れて来て、滝の中の人は全部、上ってしまった。

再び、宿坊へ帰って来てみたが、やはりおすずはいない。

「それから旦那に申し上げまして、ひょっとすると扇屋へお帰りかと、二人そろって扇屋へひき返しました」

が、おすずは帰っていなかった。

三

滝不動から扇屋へ戻る道は、音無川のむこうに王子権現の森をみる畑の中の近道だった。

それを行くと、先刻、藤吉が迎えに出ていた茶店の横へ出る。

「手前が二度目に滝不動に参りましたのは、この道で……」

つまり、扇屋から滝不動に行くには、王子権現の裏門を入って境内を表参道へ抜け、音無川を渡って左へ折れる道と、扇屋から日光街道を後もどりして、料理茶屋の傍から畑の中の道を音無川沿いに行くのと、二つの方法がある。

「おすずどのは、みつかった時、どんな着物を着ていたのだ」

東吾の問いに、藤吉が答えた。

「おっこち絞りの浴衣に、利休茶の帯でございました」

その恰好《かっこう》は蔵前から扇屋について、一風呂浴びて着がえたもので、その姿で王子権現から滝不動へ行ったことは佐吉が証言した。

「ひょっとすると、おすずは滝不動へ行く前に殺されたのじゃないのか」

扇屋へ戻って、佐吉を帰らせてから、東吾がいい出した。

「いえ、そんなことはございません。伊平さん夫婦が宿坊へ来たのは、不動堂の僧がみて居ります」

おっこち絞りという、今年、江戸ではやった大柄の浴衣を着たおすずが、伊平と別れて女の宿坊へ入って行くのを、本堂にいた納所《なっしょ》坊主がみていたという。

「女のほうの宿坊でも、おっこち絞りを着た女が、すみで髪を解き、行衣《ぎょうい》に着がえて行くのをみた者がございます」

流行は流行でも、大胆すぎるおっこち絞りという柄は、滝に当りにくるような年輩の女たちには珍しかったらしい。

「ですから、おすずさんは間違いなく、旦那と二人、滝に当りに行って居ります」

それに、みつかった時のおすずは、着ているものは、おっこち絞りに利休茶の帯だが、髪は解いていて、びっしょり濡れていたという。

「一度、滝に当って戻って来て着がえをして、それから、人に誘い出されたか、自分からどこかへ行こうとしたか……そんなふうに手前は判断して居りますが……」

「誘い出したのが、俺だと、大和屋伊平はいったんだろう」

「いえ、その疑いは、もう晴れました」

藤吉は首をすくめ、源三郎が別に訊ねた。

「洗い髪に、おっこち絞りの浴衣を着たおすずがどこかへ行く姿をみた者はいないのか」

「それは今のところ、ございません」

午後も八ツ（午後二時）をすぎると、男はともかく、女は寒さを怖れて、大方は滝から上って、飛鳥山あたりの宿へ帰ってしまう。女の宿坊が閑散とする時刻であったし、納所坊主も、二度とおっこち絞りの女をみていない。

「厄介なことになりました……」

藤吉が嘆息した。

「なにせ、王子の滝は名所でございます。不動滝に打たれに来る者も多うございますが、それを見物に来る奴もいて、さまざまな者がこの辺りに集って居りますから……」

水に濡れて、体の丸みが明らさまになった女の姿をひそかに楽しみにくる不届者も多く、

「おすずさんの色香に、とんでもない了見を起した奴が、なにか旨いことをいって誘い出すということもないとは限りません」

土地不案内なおすずを騙《だま》して連れ出し、岩屋弁天で手ごめにしようとして失敗し殺したというようなことになると、いわば、通りすがりの犯行だから、下手人を挙げるのは更に困難になる。

「俺は、そうは思わない」

東吾が、ぽつんといった。

「おすずという女は、利口者《りこうもの》で、少々、権高なところがある、みず知らずの人間の小細工に乗るような女じゃない」

部屋の外の闇に、小さな光が走った。蛍《ほたる》である。

「ここらあたりは山家《やまが》なんだな。蛍も大川端のより、よっぽど大きいぞ」

考えあぐねた顔で、東吾は光って消える蛍を眺めていた。

蔵前の札差、大和屋の女房が、王子の岩屋弁天で非業の死を遂げたという噂は、大和屋がなるべく内聞にしたいと努力したにもかかわらず、あっという間に瓦版《かわらばん》のたねにもなった。

「あきれた。大和屋のお内儀さんには間夫《まぶ》がいて、それが八丁堀にかかわり合いのあるお人だとか、殺されたのも、その間夫のせいみたいな書き方をしているんですよ。まさか、東吾様のことじゃありますまいね」

瓦版を買って来たお吉がうっかり本当のことをいってしまって、るいの顔色をみて、慌てて台所へ逃げ込んだ。

たしかに、その瓦版の話はよく出来ていて、大和屋の女房、おすずには昔、いいかわした男がいて、最近、夫婦仲が面白くないため、その男と大川端の宿で媾曳したりして、憂さばらしをしていたのを、亭主の伊平が気がついて、意見したが、いうことをきかない。そんな矢先に、おすずが王子で何者かに殺害されたが、さて、下手人は、人妻の邪恋をもて余した昔の恋人か、それとも嫉妬に狂った亭主か、王子権現の御神託に訊いてみたらどうか、などという他愛のないものだが、当事者にとっては、なんとも具合の悪い内容である。

「どうも困りました。あのような噂は、どこから出ましたのか、お上《かみ》のご迷惑にもなることなので……」

町廻りの途中、畝源三郎が大和屋へ顔を出すと、伊平は丁重に招じ入れて、瓦版の一件をこぼした。

「手前が下手人と申すのも途方もない話でございますが、神林様にまで累《るい》を及ぼしてしまいまして……まことに申しわけなく……」

自分は決して東吾を疑っているわけではなく、ただ、王子で事件のあった時、逆上してうっかり、おすずと東吾の昔のかかわり合いを口にしてしまったのを、今となっては後悔していると伊平はいった。

「それでは、御主人は先頃、お内儀が外で神林と逢われたのはご承知ないわけですか」

源三郎にいわれて、伊平は困った顔になった。

「神林様に家内が文を差し上げたとかきいて居りますが……ご無礼なことを……」

「それが、実は神林の手に渡って居りません。間に立った者が気をきかせて捨ててしまったそうで」

神林東吾には女がいて、それが嫉妬して渡さなかったと源三郎はいった。

「それでは、やはり、かわせみの女主人というのが……」

伊平はわかったような顔をして大きくうなずいた。

「家内にはいつまでも娘気分の失せないようなところがございまして、よく役者に文をつかわしましたり、夢のようなことを考えて居たり致します。子供のないせいもございまして……」

自分としては、年が違うせいか、そんな女房を、むしろ、子供が悪戯しているくらいに眺めていたのだが、

「今となっては、手前がもっときびしく叱ったほうがよかったのかも知れません」

大和屋を出て、番屋へ寄ると、藤吉が待っていた。

「旦那のお耳に入れたいことがございます」

殺されたおすずの妹のお菊というのが、札差の大口屋へ嫁いでいるのだが、

「変な夢をみたそうでございます」

夢の中で、死んだおすずがせっせと糸をほどいているという。

「着物だか、帯だか、品物はよくわからないそうでございますが……」

その話を、つい先だって、初七日の法事の時に、お菊が話した。

「それから二日ほどして、お菊さんが姉さんの形見わけに、なにか身についたものを親類へわけたいと思って、大和屋へ出かけたそうです」

伊平は外出中だったが、姉妹のことなので勝手に姉の部屋へ入って簞笥《たんす》をあけてみると、

「帯や着物が片っぱしからほどいてあったそうです」

家人にそれとなく訊いてみると、どうやらそんなことをしたのは、主人の伊平らしい。気をつけてみると、おすずの手文庫や鏡台の中まで、なにか捜したような形跡があったというのだ。

「もっとも、あとになって、伊平がお菊さんに弁解したところによると、着物や帯をほどいたのは、どっちみち形見わけをするつもりで、洗い張りをし、きれいにして分けたいと思ったからだそうですが、それなら、なにも旦那が自分からそんなことをする必要はなく、女中にでもやらせればいいことで、これは手前がきいても合点が参りません」

源三郎はその足で藤吉と共に大口屋へ行った。お菊の話は藤吉から訊いたのと全く同じで、その他に、お菊の亭主である大口屋弥三郎がいった。初七日の法事のあとで、親類が大和屋の帳簿をあらためた。

「と申しますのは、これまで商売の肝腎のことは、義姉さんがとりしきって居りました。それを、伊平さんに渡すわけでございますし、義姉さんの資産もかなりございますので」

おすず亡き後は、養子の伊平がそれらを自由にすることになる。親類としては、大和屋の財産がみすみす養子の手に渡るのがどうも面白くなかったという含みもあるらしい。

「手前が気になりましたのは、いわゆる証文の中に、伊平さんの実家の武部様へのものが一枚もなかったことでございます」

札差業というのは、幕府から直接、給米を受ける旗本、御家人に代って、幕府の米蔵から受けとり、手数料を受けとるものだが、実際には、その給米を抵当として彼らに金を貸し、利子をとるのが、大きな収入となっていた。

天下泰平のこの時代、武士の給米は長年、かわらないのに、物価は上る一方で、旗本、御家人の中には札差に何年も先までの給米を抵当にして莫大な借金をしている者が多い。

「武部様に貸しがあるのは、義姉もよく申して居りましたし、手前が立ち合ったこともございます。金額のほうはわかりかねますが」

その借用証文が一枚もなかったという。

「ただ、手前としましては、同業としてあまり大和屋の内情に口を出しますのは……」

おすずが生前に、今度、生まれてくるお菊の子供を、養子に欲しいといっていたこともあって、

「手前が大和屋の身代に欲があるように思われましては心外でございます」

源三郎が八丁堀へ帰ってくると、ちょうど東吾が汗びっしょりになって外から戻って来たところであった。

「ちょいと、調べて来たことがあるんだ」

「かわせみ」へ行かないかといわれて、源三郎はついて行った。

「どう思いますか、武部様の証文が一枚もないということについてです」

東吾が誘ったくせに、話は源三郎のほうからはじまって、東吾は即座に答えた。

「そいつは、伊平が処分したのではないな」

伊平がもし、この際、実家の借金を助けようと証文を始末したのなら、

「馬鹿や子供じゃあるまいし、一枚のこらずというへまはするまい。適当に処分し、いくらかは残しておくものだ」

そうでなければ、忽ち、親類から疑念を持たれる。実際、証文が一枚もなかったことで大口屋弥三郎が不審を訴えている。

「武部家は、伊平が養子に行ってから、数千両の借金を大和屋にしているぜ」

ずばりと東吾がいった。

「俺は、麻生の義父上からきいて来た。伊平の兄の武部左京というのは、なかなかのやり手で、ここ何年も上役に派手な供応をしては役付になろうと奔走しているそうだ」

交際も派手で、そのために費した金は身分不相応な額に及んでいるし、

「それも、弟が札差の養子になったせいと、もっぱら、内緒で噂されている」

「しかし、大和屋の銭勘定は、お内儀がおさえていたようですが……」

「そうなんだ。義父上の話だと、武部左京の供応ぶりは、大和屋の内儀が死ぬ数カ月前から、一層、派手になっている」

東吾は、るいが運んで来た冷たい麦湯をたて続けに飲んだ。

「俺は、証文をかくしたのは、おすずだと思うな」

自信たっぷりに、東吾は続けた。

「こいつは苦労して、つきとめて来たのだが、武部左京には妾がいて、そこに子供が生まれたんだ。男の子で、そいつを、どうも大和屋の養子にしようとしたらしい」

「おすずは知っていたのですか」

「多分、伊平から相談を持ちかけられていたのだろう、妹のお菊が秋に出産する子を養子にくれといい出したのがその証拠だ」

男か女か、生まれてもいない子を養子にといったおすずの気持は無論、武部左京の子を養子にするつもりは全くなく、

「それでなくとも、武部家に流れて行く金を忌々しく思っていたのだろう。商家に育って男まさりのおすずにしてみれば、亭主は貧乏神にみえたかも知れない」

もともと、大和屋にしても伊平を養子にする時から、そうした懸念はあって、おすずに資産を握らせ、商売の財布の紐も伊平の自由にはさせなかった。

「伊平にとって、おすずは邪魔者ということになりますか」

「伊平よりも、武部左京にとってだろう」

でも、と黙ってきいていたるいが口を出した。

「仮にも御夫婦が、お金のことで、殺すでしょうか、お内儀さんを……」

東吾がるいを眺めてくすぐったそうな表情をした。

「そいつは場合にもよるだろうが……」

畳の上に煙草盆をおいた。

「ここが王子権現、こっちが扇屋、ここが不動滝だ」

湯呑と煙草入れで、それぞれの位置をきめる。

「手代の佐吉は王子権現で別れて扇屋へ行って、こっちから不動滝へ行った。夫婦は表参道を通って不動滝へ行く」

距離にしたら、佐吉のほうがやや遠い。

「しかし、佐吉が着いた時、すでに伊平は滝に当って宿坊へ戻っていたわけですから……」

「そうなんだ。それから考えても途中でおすずを殺してくるひまはない」

「殺すわけないじゃありませんか。おすずさんと一緒に滝まで来ているのをみた人がいるんでしょう」

いつの間にか、るいの背後にお吉も嘉助も来ている。二人とも、こういう話となると、宿屋商売はそっちのけである。

「おすずは、はじめて王子へ行ったそうだ。不動堂の坊主は、おすずの顔を知らないんだ」

東吾の言葉に、源三郎が膝を乗り出した。

「すると、伊平と一緒に不動滝へ来たのは、おすずではないとおっしゃるわけですか」

「笠をかむっていたから、顔はよくみえないだろう。おすずと同じ年頃の背恰好の、おまけにおっこち絞りに利休茶の帯を結んでいれば、ごま化しはきくということさ」

「誰なんです、その女は……」

るいが夢中になった。

「武部左京と妾のおさきって女が片棒かついだとすると、俺の推量は、なんとも平仄《ひょうそく》が合ってくるんだが……」

源三郎が立ち上った。

調べがついたのは、翌日の午後で、東吾は八丁堀にいた。昨夜は「かわせみ」に泊らなかったらしい。

「武部左京の妾の家は、小石川白山下でした」

源三郎は気負い込んでいた。

藤吉がきき出したところによると、おすずが王子で殺された日、武部左京の妾のおさきは午前中から赤ん坊をおぶって出かけていた。

「五月に生まれたっていいますから、まだ百日と経っていません」

そんな赤ん坊を、産後の肥立ちもあまりよいとはいえない母親がおぶって出て、帰って来たのが九ツすぎで、

「これは、近所の麦湯売りの娘がみて居ります。旦那の武部左京が一緒だったそうで……」

おまけに翌日、おさきは血の道を起して医者を呼んでいる。藤吉が医者に訊いたところ、体をひどく冷やしたらしく出血して乳まで出なくなってしまい、とりあえず、赤ん坊の乳もらいに近所が大さわぎをしたという。

「平仄は合うな」

大和屋の財産を自由にするために、家付娘のおすずを殺そうと考えたのは、伊平か左京か、ともかく、兄弟は共謀して、場所を王子にきめた。

「前もって、おそらく左京だろう、王子へ行って地理を調べ、手筈をととのえた」

左京と妾のおさきが王子へ行って待ち受け、伊平がおすずを連れて王子権現から不動滝へ来る途中をねらった。

「岩屋弁天へおすずを連れて行って殺したのは左京だろう。その間に伊平は、おすずと同じなりをしたおさきと一緒に不動滝へ来て滝に当る。おさきは滝に当ったあと、用意して来た別の着物に着がえ、なにくわぬ顔をして待っていた左京と白山下へ帰ったのだろう」

「赤ん坊はどうしたのですかね」

「左京がおすずを殺す間は、どこかにかくしておいたのだろうな」

人通りのない森の中である。赤ん坊が少々、泣いても、とんでくる人はない。

「証拠がありませんな」

源三郎が腕を組んだ。東吾のはあくまでも推量であった。

推量だけで伊平と武部左京を挙げられないし、殊に左京は小身ながら旗本である。下手なことをしては、町方のひっこみがつかない。

「もう一度、夢をみてもらうか」

なにを考えているのか、東吾はにやにやして、源三郎の耳に口をよせた。

四

大和屋の二七日《ふたなぬか》の法事に、お菊は、やつれた顔で出席した。毎晩のように、姉のおすずが夢枕に立つという。

「どこだかわかりませんけれど、暗いところでお堂があるみたいなんです。姉さんがその床の下を指して泣くんです。帯の間から、なにかを出して、床の下へ投げ込むようなそぶりをして」

それで思い出したのだが、王子へ行く朝、お菊が見送りに行くと、居間で帯をしめていたおすずが油紙に包んだものを帯の間へしまっていたという。

「それ、なんですかってきいたら、大事なものだから肌身はなさず持っているっていって……あたし、最初に姉さんの夢をみた時、糸をほどいているようにみえたのは、帯の間からなにかを出す手つきがそうみえたような気がします」

おすずの死体のどこにも、その時の油紙に包んだ品物がなかったことから考えて、ひょっとすると、

「姉さんは殺される時、それを、どこかお堂の床下のようなところへ投げ込んだのじゃありませんかしら」

親類が色めき立ったのは、口には出さなかったが、それが、もしかすると、武部家の証文ではないかという疑惑を誰もが持ったからである。

伊平の実家の借用証文が一枚もなくなっていたことで、伊平の立場はかなり悪くなっていた。お菊の話の通りだとすると、おすずは夫が実家の借金を帳消しにしようとしているのではないか、と疑って、武部家の借用証文を肌身はなさず持ち歩いていたのではないか、と考えた者もあったらしい。

「とにかく、明日にでも王子へ行ってみようと思います。岩屋弁天の、義姉の殺された場所もみてみたいし、供養もしてやりたいと思いますので……」

そういったのは大口屋弥三郎で、それには親類の誰彼もついて行くことになった。

自分の女房のことなのに、伊平は完全に局外におかれたようである。

知人の中には、そんな伊平に同情する者もあって、

「いくらなんでも、大口屋も乱暴なことをいい出すじゃないか。あてにもならない夢の話を持ち出して、あれでは、おすずさんを殺した下手人が伊平さんだといわんばかり……どういう証拠があって、仮にも大和屋の主人に罪をきせるのか」

といきり立ったりしたが、伊平はむしろ、そうした人々をなだめた。

「何事も、養子という立場が手前にはついて廻るのでございます」

なまじ、旗本の兄がいるばかりに、養家の金を実家へ流しているかと疑いを持たれる。

「そんなことのないように、財布は女房に持たせて、手前はびた一文も勝手にしたことはございません」

しかし、今夜という今夜は、つくづく情ないといい、伊平はその人々を誘って吉原へくり出した。

「女房の二七日に不謹慎といわれましょうとも、今夜のところはご勘弁願います」

男泣きに泣く伊平をもっともだと思う連中は、吉原へくり出して、夜遅くまで騒いだのだが、出かけて行く前に、伊平は手伝いの若い衆に、今日、法事に参会しなかった何軒かに、葬式饅頭《まんじゅう》をくばる指図を忘れなかった。

その一つは、番町の武部家へも届けられた。

伊平達の一行が、馬鹿騒ぎをしながら吉原へくり出した頃、武部家の通用門から男が一人、闇の中へ消えた。

その人影は、夜明け前に王子の岩屋弁天の近くへたどりついた。

昼でも人影のないこのあたりである。聞えるのは遠く不動滝の音と、草むらですだく虫の声ばかりである。

岩屋弁天の洞穴に、男が入った。用心深く袂《たもと》で囲いながら灯をつける。顔は黒い布で包み、腰には両刀をたばさんでいた。

弁天堂の床下を丹念に灯を近づけて捜していたが、やがて手を突っ込んで油紙に包まれた書状のようなものを摑み出した。灯を地上におき、慌しく油紙をひらきかける。

その時、背後から声がかかった。

「武部左京どの、お捜しの証文はみつかりましたかな」

とたんに龕燈《がんどう》の光が、男の姿を照らし出す。

「お捜しの証文は、ここにござる、十年先の禄米まで抵当にして、利子ともども四千両の借財とは、ちと、派手すぎましたな」

東吾の手が別な紙包をみせた。

「おすずどのが、恋文がわりにあずけて行ったもの……武部左京ともあろう御仁《ごじん》が、女子供の夢物語にうまうまとひっかかりましたな」

「やはり、罠《わな》かっ」

呟きと共に、白刃が躍った。

「源さん手を出すな、町方は支配違いだ」

叫びざまに、東吾が洞穴を出る。左京が追った。

ゆっくり、東吾が抜き合せる。

夜がすでに明けかけていて、音無川の上を風が渡っていた。

「おのれっ」

遮二無二、斬ってくるのを、かわしながら東吾はじりじりと下る。みていた源三郎が、たまりかねて十手を抜いた。

近頃の旗本には珍しいほどの鋭い遣い手である。

がっと大気が鳴って、左京が襲いかかる、身を沈めて、東吾が大きく払った、左京の手から太刀が光芒《こうぼう》となって川へとぶ。

「うぬっ」

うめいて、左京が背をむけた、不動堂の方角へ向って数歩を走る。ぎょっとして立ち止ったのは、橋の袂に立っている麻生源右衛門を、みたせいである。

「武部左京、もはや逃れぬところぞ、神妙に致せ」

老いたりといえど、矍鑠《かくしやく》とした元お目付の声が暁闇にひびいて、左京はがっくりと地に膝を落す、とみる間に脇差を抜いて腹に突き立てた。

兄、左京の切腹を知ると、吉原から番屋へ移された伊平は、なにもかも白状した。

「武部家の証文が、東吾さんの手にあったとは知りませんでした。どうして、もっと早くに教えてくれなかったのですか」

事件が目付と奉行所の両方にわけて落着してから、源三郎が怨みがましくいった。

「おすずは伊平と別れる気だったんだ。あの証文を責め道具にして、金が返せないなら、大和屋を出て行けと伊平を責めたらしい。伊平は思い余って、兄の左京に相談し、おすずを殺す気になったそうだ」

殺したのは、やはり岩屋弁天の中で、橋の袂で、伊平がおすずに参詣してくるように勧め、どちらかというと信心深いおすずが弁天堂へ行った。

「左京は洞内にかくれていて、いきなり襲いかかって首をしめた。その間に伊平はおさきと一緒に滝不動へ行ったんだ」

「そうすると、おすずさんは伊平と別れるからと東吾さんをくどいたわけですな」

「養子に来たくなければ来なくていいというんだ。一度でいいから……その……」

口ごもって東吾はいった。

「かわせみの二階でよかったよ。あそこじゃ、いくらなんでもそんな気になれない。俺も男だから、ああ、恥も外聞もなくせまられると、不愍な気がしてね」

るいには内緒にしてくれと、東吾は気の弱い顔をした。

「しかし、何事もなかったわけでしょう」

源三郎も今日は意地が悪かった。

「あいつ、みかけによらず、やきもち焼きなんだ。俺が他の女にくどかれたというだけで角《つの》をはやすからな」

「色男にはなりたくないですな」

笑いながら、源三郎は盛んに扇で胸許をあおいだ。

「王子の滝へでも行かないことには、暑くてかないませんよ」

なにをいわれても、東吾は神妙である。

大川がむこうにみえて、「かわせみ」の屋根が、陽の下で光っている。

「左京って男もかわいそうだ。あれだけの腕があっても、この御時世じゃ出世が出来ない、武士が金の力に押し潰されて、あの始末だ」

ほろ苦く、唇を結んで、東吾はそんな気持をふり切るように、「かわせみ」へ向って足を早くした。

本書は一九七九年四月に刊行された文春文庫「江戸の子守唄　御宿かわせみ2」の新装版です。

文春文庫

江戸《えど》の子守唄《こもりうた》　御宿《おんやど》かわせみ2

定価はカバーに
表示してあります

2004年3月10日　新装版第1刷

著　者　平《ひら》岩《いわ》弓《ゆみ》枝《え》
発行者　白川浩司
発行所　株式会社　文藝春秋
東京都千代田区紀尾井町3-23　〒102-8008
TEL　03・3265・1211
文藝春秋ホームページ　http://www.bunshun.co.jp
文春ウェブ文庫　http://www.bunshunplaza.com

落丁、乱丁本は、お手数ですが小社営業部宛お送り下さい。送料小社負担でお取替致します。

印刷・凸版印刷　製本・加藤製本

Printed in Japan
ISBN4-16-716881-2

文春文庫

平岩弓枝の本

品切の節はご容赦下さい。

平岩弓枝
女の顔（上下）

異国にあって日本人であることを強烈に感じさせる女――戦中を生き抜いてきた重荷を背負った女の波乱に富んだ青春と、男によって変ってゆく〝女の顔〟をドラマチックに描くロマン。

ひ-1-1

平岩弓枝
彩の女（上下）

白は花嫁の色。女はこの日からさまざまな色に染められてゆく。禁じられた恋に身を灼いて、それぞれの人生をいろどってゆく母娘二代の哀しい愛と性を描き出した長篇ロマン。

ひ-1-3

平岩弓枝
肝っ玉かあさん

原宿のそばや「大正庵」のおかみさんは、太っ腹で、世話好きで涙もろい未亡人。この〝肝っ玉かあさん〟を中心に湧き起る日常のさざなみを、生活感あふれる描写で描き出す長篇。

ひ-1-6

平岩弓枝
藍の季節

若い女性の愛、ハイミスの恋、本妻と二号との関係、嫁と姑の確執など、さまざまな女の愛憎を鮮やかに描いた傑作短篇集。――「藍の季節」『白い毛糸』『本妻さん』『下町育ち』『意地悪』を収録。

ひ-1-7

平岩弓枝
下町の女

東京下谷の名妓寿福は美人で気っぷがよくて涙もろい。だが娘の桐子は芸者になるのを嫌って大学へ行ってしまった。さびれゆく花柳界を舞台に、母と娘の愛情と心意気とを描く長篇。

ひ-1-10

平岩弓枝
花のながれ

上野・池之端にある老舗の糸屋。その主人で組紐の名人だった父の死後に、残された美しい三姉妹が三様にたどる愛の人生を描いた表題作に、「女の休暇」「ぼんやり」の二短篇を併録。

ひ-1-11

文春文庫

平岩弓枝の本

平岩弓枝
御宿かわせみ

江戸大川端、柳橋のはずれにある宿屋「かわせみ」に泊る人たちをめぐる事件の数々。「初春の客」「花冷え」「卯の花匂う」「秋の螢」「倉の中」などの全八篇で綴る捕物帳仕立ての連作。

ひ-1-8

平岩弓枝
江戸の子守唄
御宿かわせみ2

「江戸の子守唄」「お役者松」「迷子石」「幼なじみ」「宵節句」「ほととぎす啼く」「七夕の客」「王子の滝」など、四季の風物を背景に、下町情緒ゆたかにくりひろげられる異色の捕物帳。

ひ-1-9

平岩弓枝
水郷から来た女
御宿かわせみ3

小さな旅籠の女主人るいと恋人で剣の達人・神林東吾の活躍。「秋の七福神」「江戸の初春」「湯の宿」「桐の花散る」「水郷から来た女」「風鈴が切れた」など全九篇を収める。

ひ-1-14

平岩弓枝
山茶花は見た
御宿かわせみ4

女主人るい、恋人の東吾とその親友・畝源三郎が大江戸の悪にいどむ第四集は、表題作のほか、「女難剣難」「江戸の怪猫」「鴉を飼う女」「鬼女」「ぼてふり安」などの全八篇を収録。

ひ-1-15

平岩弓枝
幽霊殺し
御宿かわせみ5

シリーズ第五集は、「恋ふたたび」「奥女中の死」「川のほとり」「幽霊殺し」「源三郎の恋」「秋色佃島」「三つ橋渡った」の全七篇。江戸の風物と人情、そしてるいと東吾の色模様も描く。

ひ-1-34

平岩弓枝
狐の嫁入り
御宿かわせみ6

美人で涙もろい女主人るい、恋人の東吾、ときに二人のお邪魔虫・畝源三郎同心の名トリオの活躍。表題作のほか、「師走の月」「迎春忍川」「梅一輪」「千鳥が啼いた」「子はかすがい」。

ひ-1-37

品切の節はご容赦下さい。

文春文庫

平岩弓枝の本

（　）内は解説者。品切の節はご容赦下さい。

火の航跡
平岩弓枝
夫の失踪、身辺に連続する殺人事件と、それらを結ぶ有田焼の航跡の謎。久仁子は、謎を求めてギリシャへ、そしてメキシコへ飛ぶ。壮大なスケールで展開するサスペンス・ロマン。
ひ-1-12

女の旅
平岩弓枝
洋画家の娘・美里は語学に堪能なツアー・コンダクター。平泉、東京、ニューヨークを舞台に、初恋に揺れる若い女心と、情事に倦みながらも嫉妬する中年女の心理を描く。（伊東昌輝）
ひ-1-13

女の家庭
平岩弓枝
気働きのない姑にオールドミスの小姑と同居するエリート社員の妻が家庭内のトラブルに疲れた頃、夫の浮気を知る。しかし平凡な家庭を守るために耐えた。翔べない女の幸せを問う長篇。
ひ-1-16

女の河（上下）
平岩弓枝
秘書から社長夫人になった美也子をめぐる人間模様。日本とイタリヤを舞台に、巨大な社会機構と愛憎渦巻く人の世の濁流に翻弄される女たちの哀しい愛を描いた長篇。（大野木直之）
ひ-1-18

女の幸福
平岩弓枝
初恋を胸に秘めて耐えてきた優しい女・千加子。戦前、戦中、戦後を通して、優しさ故に苛酷な運命に翻弄される人生を歩む主人公を描いて、女の真の幸せを問うた長篇。（藤田昌司）
ひ-1-20

日蔭の女（上下）
平岩弓枝
芸者で二号の母、バー経営の姉、そんな人生に反発した主人公は、優秀な麻酔医となったが、許されざる愛に身をゆだね、母と同じ道を辿る。母娘二代〝日蔭の女〟の哀しさを綴る。
ひ-1-21

（　）内は解説者。品切の節はご容赦下さい。

平岩弓枝
酸漿《ほおずき》は殺しの口笛
御宿かわせみ7

表題作のほか、「春色大川端」「玉菊燈籠の女」「能役者、清大夫」「冬の月」「雪の朝」を収録。おなじみの人物を縦横に活躍させて、江戸の風物、人情を豊かにうたいあげる。

ひ—1—42

平岩弓枝
白萩屋敷の月
御宿かわせみ8

ご存じ〝かわせみ〟の面々が大活躍する人情捕物帳。白萩屋敷の孤独な女主人の恋をミステリアスに描く表題作、「美男の医者」「恋娘」「絵馬の文字」「水戸の梅」など全八篇を収める。

ひ—1—44

平岩弓枝
一両二分の女
御宿かわせみ9

商用で江戸へ来た男が次々に姿を消す。どうも〝安囲い〟の女が関係しているらしい。〝かわせみ〟の面々による人情捕物帳。表題作のほかに「藍染川」「美人の女中」など全八篇を収録。

ひ—1—47

平岩弓枝
閻魔まいり
御宿かわせみ10

閻魔堂で娘が晴着を切られ、数日後、堀留小町が殺された。犯人は意外な人物。〝かわせみ〟の面々が人情味豊かに贈る捕物帳シリーズ。ほかに「源三郎祝言」「橋づくし」など全八篇。

ひ—1—52

平岩弓枝
二十六夜待《にじゆうろくやまち》の殺人
御宿かわせみ11

二十六日の月の出を待ち一句ひねろうと、同好の士と共に目白不動へ出かけた俳諧師が川に浮かぶ。〝かわせみ〟の人々の勘は絶好調。ほかに「女同士」「犬の話」など全八篇。（藤森秀郎）

ひ—1—53

平岩弓枝
夜鴉《よがらす》おきん
御宿かわせみ12

江戸に押込み強盗が多発、「かわせみ」へ届けられた三味線流しおきんの結び文が解決の糸口となる。他に「岸和田の姫」「息子」「源太郎誕生」など全八篇を収めた大好評シリーズ第十二集。

ひ—1—56

文春文庫

平岩弓枝の本

（　）内は解説者。品切の節はご容赦下さい。

他人《ひと》の花は赤い
平岩弓枝

美貌の隣人に懸想し妻子の留守中に束の間の情事を楽しんだその顚末は。表題作など切れ味抜群の作品集。「春よ来い」「非行少女」「つきそい」「異母兄妹」など全八篇収録。（伊東昌輝）

ひ—1—23

午後の恋人（上下）
平岩弓枝

夫の愛人に子供が出来て離婚した明子は、四十にして歩き始めた第二の人生が、これ程華やいだものになるとは思わなかった。三人の男に言い寄られる女盛りの恋を描く。（高橋昌也）

ひ—1—24

女たちの海峡
平岩弓枝

華道の師範代・麻子は、義弟とその友人から同時に愛を告白された。どちらを受け入れるにせよ、まず出生の秘密を質さねばと、激しく揺れる女心は母を追ってスペインへ。

ひ—1—26

女たちの家（上下）
平岩弓枝

突然夫に死なれた世間知らずの女主人公が、生さぬ仲の一人息子とのトラブルを経て、ペンション経営で老後の自立を計ってゆく姿を描きつつ、女の幸せとは何かを模索する長篇。

ひ—1—27

花の影
平岩弓枝

佐保子の生涯を賭けた恋は、陽光に映え、風雨に耐えて美しく散った。桜の花の一日を八つに分けて、主人公の十代から八十代までになぞらえ、驕りの春に咲く恋の明暗を描く。

ひ—1—29

色のない地図（上下）
平岩弓枝

数奇な運命をたどる日中混血美女の悲恋。香港に亡命し、ヨーロッパで暮らすもと上海大富豪の娘を主人公に、二人の日本青年の愛を、パリ、モナコ、中国、東京を舞台に描く。

ひ—1—30

平岩弓枝の本

（　）内は解説者。品切の節はご容赦下さい。

平岩弓枝
鬼の面 御宿かわせみ13

節分の日に起きた殺人、現場から鬼の面をつけた男が逃げた。表題作の他「麻布の秋」「忠三郎転生」「春の寺」など全七篇。大川端の御宿「かわせみ」の人々が贈る人情捕物帳。（山本容朗）

ひ－1－57

平岩弓枝
神かくし 御宿かわせみ14

神田の周辺で女の行方知れずが続出する。神かくしはとかく色恋のつじつまあわせに使われるというが……東吾の勘がまたも冴える。御宿「かわせみ」の面々による人情捕物帳全八篇収録。

ひ－1－59

平岩弓枝
恋文心中 御宿かわせみ15

大名家の御後室が恋文を盗まれ脅される。八丁堀育ちの血が騒ぎ、東吾がまた一肌脱ぐのだが。表題作ほか、るいと東吾が晴れて夫婦となる「祝言」「雪女郎」「わかれ橋」など全八篇を収録。

ひ－1－60

平岩弓枝
八丁堀の湯屋 御宿かわせみ16

八丁堀の湯屋には女湯にも刀掛がある、という不思議が悲劇を生む。表題作の他、「ひゆたらり」「びいどろ正月」「春や、まぼろし」など全八篇を収録した〝かわせみ〟シリーズ第十六集。

ひ－1－61

平岩弓枝
雨月 御宿かわせみ17

生き別れの兄を探す男が、「かわせみ」の軒先に立っていた。兄弟は再会を果たすも、雨の十三夜に永久の別れを迎える。表題作他「尾花茶屋の娘」「春の鬼」「百千鳥の琴」など全八篇を収録。

ひ－1－63

平岩弓枝
秘曲 御宿かわせみ18

能楽師・鷺流宗家に伝わる一子相伝の秘曲を継承した美少女に魔の手が迫る。無事、事件を解決した東吾にも隠し子騒動が持ち上がり揺れる大川端模様。〝かわせみ〟ファン必読の一冊。

ひ－1－65

文春文庫

平岩弓枝の本

（　）内は解説者。品切の節はご容赦下さい。

平岩弓枝
あした天気に（上下）

修学旅行にまで心配でついていく——一人娘への男親の愛情も度を越すと、なにかと問題続出。その娘がいよいよ嫁に、父は当然放心状態。笑いと涙で綴る〝貰いっ子・ちづる〟の物語。

ひ-1-32

平岩弓枝
へんこつ（上下）

「八犬伝」の作者・滝沢馬琴は偏屈で反骨精神の旺盛な男だ。犬を連れた謎の美女をめぐる奇怪な事件に関わりをもった彼の好奇心は、遂に幕府黒幕の金脈を暴く。作家魂を描く意欲作。

ひ-1-35

平岩弓枝
湖水祭（上下）

ノルウェイで出会った謎の女性に再会した日から、長谷兵庫は建築会社の社長一族にまつわる奇怪な殺人事件にまきこまれる。白夜の北欧に展開するミステリー・ロマン。（伊東昌輝）

ひ-1-38

平岩弓枝
祝婚歌（上下）

娘は妻ある人を恋し、夫は秘書とオフィスラブ、弟は友人の妻と不倫の仲。貞淑な主婦が四十を越えて迎えた波瀾万丈を、東京・成城と軽井沢のテニスクラブを舞台に描く。（伊東昌輝）

ひ-1-40

平岩弓枝
小さくとも命の花は

とても育つまいと思われた未熟児の小さな命が、幾度かの危機を克服して奇跡的に育った。嫁姑の葛藤、家庭内のトラブルをのりこえて、一つの命を守る涙と感動の力作。

ひ-1-43

平岩弓枝
かまくら三国志（上下）

北条氏は将軍頼家の命を狙い源家の衰退を図る。頼朝の落胤・智太郎は宗像水軍を従え立ち向かう。水軍、朝廷、鎌倉幕府の関係をめぐる日本裏面史に挑む著者初の歴史長篇。（伊東昌輝）

ひ-1-45

文春文庫

平岩弓枝の本

かくれんぼ 御宿かわせみ19
平岩弓枝

御殿山のお屋敷の庭でかくれんぼをしていた源太郎と花世が、迷い込んだ隣家で殺人現場を目撃して……。表題作ほか「マンドラゴラ奇聞」「残月」「江戸の節分」など全八篇収録。

ひ-1-66

お吉《きち》の茶碗 御宿かわせみ20
平岩弓枝

「かわせみ」の女中頭お吉が、大売り出しの骨董屋から古物を一箱買い込んできた。やがて店の主が殺され、東吾はお吉の買物の中身から事件解決の糸口を見出す。表題作など全八篇を収録。

ひ-1-67

犬張子の謎 御宿かわせみ21
平岩弓枝

花見の道すがら、るいが買った犬張子には秘められた仔細があった。玩具職人の、孫に向けた情愛が心を打つ表題作ほか「独楽と羽子板」「鯉魚の仇討」「富貴蘭の殺人」など全八篇収録。

ひ-1-68

清姫おりょう 御宿かわせみ22
平岩弓枝

宿屋を狙った連続盗難事件の陰に、江戸で評判の祈禱師、清姫稲荷のおりょうの姿がちらつく。果してその正体は？「横浜から出て来た男」「穴八幡の虫封じ」「猿若町の殺人」など全八篇。

ひ-1-71

源太郎の初恋 御宿かわせみ23
平岩弓枝

七歳になった初春、源太郎が花世の歯痛を治そうとして巻き込まれたのは放火事件だった――。表題作ほか、東吾とるいに待望の長子・千春誕生の顚末を描いた「立春大吉」など全八篇収録。

ひ-1-72

春の高瀬舟 御宿かわせみ24
平岩弓枝

江戸で屈指の米屋の主人が高瀬舟で江戸に戻る途上、変死した。懐中にあった百両もの大金から下手人を推理する東吾の活躍を描く表題作ほか、「二軒茶屋の女」「紅葉散る」など全八篇。

ひ-1-73

品切の節はご容赦下さい

文春文庫

平岩弓枝の本

品切の節はご容赦下さい。

平岩弓枝
秋色《しゅうしき》（上下）
一人の男のエゴに振り回される三人の女。そしてそれは殺人事件をも引き起こす。建築家夫人、銀座の高級クラブのママ、女子大生、それぞれの生き方を通して現代の愛を描いた長篇。
ひ-1-48

平岩弓枝
春の砂漠（上下）
父の連れ子に母の連れ子、そして両親の実の子という複雑な愛憎の中で育った美しき三姉妹。砂漠の束の間の春に咲く花の如く、華やかで寂しい人生を描いたミステリー・ロマン。
ひ-1-50

平岩弓枝
芸能社会（上下）
華麗なる結婚で人気挽回をもくろんだかつてのお嬢さん女優の計算違い、代役からスターの座へ登りつめていく新人。二人の女優の明暗の中に、芸能界の裏側をリアルに描く長篇小説。
ひ-1-54

平岩弓枝
犬のいる窓
山の手の住宅地で飼犬が次々と毒殺される。事件は三年前の交通事故に関係あり、とみた犬の訓練士と気弱な獣医のおかしな二人が、愛犬ビーグルと共に謎を追うユーモアミステリー。
ひ-1-58

平岩弓枝
水曜日のひとりごと
小説に、芝居に、と多忙多彩な活躍をつづける著者が、女として妻として母として、四季の移りかわりの中で心にとめたあれこれを軽妙洒脱に書き綴った、思わず膝を打つエッセイ集。
ひ-1-62

平岩弓枝
絹の道
商社の御曹司と人気デザイナー一族、それぞれの絹への熱い思いが、新しい愛を生む。イタリア、スイス、日本、香港を舞台に、シルクを愛した男と女が繰り広げる芳醇なるロマン。
ひ-1-64

時代小説

（　）内は解説者。品切の節はご容赦下さい。

自来也小町 宝引の辰 捕者帳
泡坂妻夫

蛙一匹百両の絵が消えた……。あれよあれよと値の上がる吉祥画を専門に狙う怪盗・自来也小町。珍事件に蠢く影は？ 辰親分の胸のすく名推理！ 妙趣あふれる名品七篇。（細谷正充）

あ-13-9

凧をみる武士 宝引の辰 捕者帳
泡坂妻夫

小判を背負った凧の謎……表題作ほか、「とんぼ玉異聞」「雛の宵宮」「幽霊大夫」の全四篇を収録。江戸情緒溢れる事件に、お馴染み神田千両町の辰親分が挑む。（長谷部史親）

あ-13-10

朱房の鷹 宝引の辰 捕者帳
泡坂妻夫

将軍様の鷹が殺された。ご公儀の威光を笠にきた鷹匠に対する庶民の恨みと思いきや……。表題作ほか「笠秋草」「面影蛍」など全八篇。江戸情緒満載の人気シリーズ第四弾！（寺田博）

あ-13-11

壬生義士伝《みぶぎしでん》（上下）
浅田次郎

「死にたぐはねえから、人を斬るのす」——生活苦から南部藩を脱藩し、壬生浪《みぶろ》と呼ばれた新選組の中にあって人の道を見失わなかった吉村貫一郎。その生涯と妻子の数奇な運命。（久世光彦）

あ-39-2

手鎖心中
井上ひさし

他人を笑わせ、他人に笑われ、そのために死ぬほど絵草紙作者になりたいと願っている若旦那のありようを洒落のめした直木賞受賞作に加え、「江戸の夕立ち」を収録。（百目鬼恭三郎）

い-3-3

おれたちと大砲
井上ひさし

おれたち五人は黒手組。といっても、みんなぼうふらのような存在だが、時は幕末、将軍さまのピンチだとばかり、恐るべき大計画をひっさげて立ち上がったのだ。（百目鬼恭三郎）

い-3-5

時代小説

（　）内は解説者。品切の節はご容赦下さい。

江戸紫絵巻源氏（上下）
井上ひさし

神田の質屋の跡取り息子・源次はさるお大名と遊女桐壺の一粒ダネ。ひょんなことから奥州六十万石館家の殿様に成り上がった源次の波瀾万丈、酒池肉林、抱腹絶倒の半生記。（駒田信二）

い-3-12

イヌの仇討
井上ひさし

本所吉良屋敷内の炭部屋、赤穂浪士の討手をのがれ、身をひそめた上野介の隠し砦。かつて書かれざる最後の一刻余をえがくこれぞ井上戯曲の真骨頂というべき奇想あふれる忠臣蔵秘話！

い-3-17

受城異聞記
池宮彰一郎

幕命により厳寒の北アルプスを越えて高山陣屋と城の接収に向かった加賀大聖寺藩士たちの運命は？　表題作ほか、「絶塵の将」「けだもの」など絶品の時代小説五篇収録。（菊池仁）

い-42-1

小説・徳川三代
家康・秀忠・家光をめぐる人々
伊藤三男

本多正信・正純親子、大久保忠隣、春日局といった将軍の重臣や乳母たちの権力をめぐる闘いに注目し、現代の企業小説にも通じる感覚で、人間の有為転変の儚さを描く書き下ろし長篇。

い-43-1

幻の声
髪結い伊三次捕物余話
宇江佐真理

町方同心の下で働く伊三次は、事件を追って今日も東奔西走。江戸庶民のきめ細かな人間関係を描き、現代を感じさせる珠玉の五話。選考委員絶賛のオール讀物新人賞受賞作。（常盤新平）

う-11-1

紫紺のつばめ
髪結い伊三次捕物余話
宇江佐真理

伊勢屋忠兵衛からの申し出に揺れるお文。伊三次との心の隙間は広がるばかり。そんな時、伊三次に殺しの嫌疑が。法では裁けぬ人の心を描く人気捕物帖、波瀾の第二弾。（中村橋之助）

う-11-2